세종
한국어

KB170288

더하기 활동

4A

문화체육관광부
국립국어원

최근 전 세계인이 접하는 한류 콘텐츠의 규모가 늘어나면서 한류 문화가 확산되고 있고, 그 결과로 한국어를 배우고자 하는 외국인 학습자의 기세가 매우 놀랍습니다. 세계 곳곳이 코로나19로 침체기를 겪던 2021년에도 한국어능력시험 응시자는 30만 명을 훌쩍 넘었으며, 문화체육관광부의 세종학당은 2007년 13곳에서 2022년에는 84개국 244개소로 증가하였습니다. 이러한 한류의 지속적인 확산을 뒷받침하기 위해서는 한국어교육의 탄탄한 지원이 필요합니다.

한류 콘텐츠와 함께 성장하는 한국어교육의 토대를 다지기 위해, 문화체육관광부와 국립국어원은 2011년 처음 발간된 《세종한국어》를 새로 다듬기로 하였습니다. 2019년부터 기초 연구를 시작한 교재 개정 작업은 3년의 시간을 들여, 2022년 드디어 새로운 《세종한국어》를 펴내게 되었고, 이를 세종학당재단과 함께 알리게 되었습니다.

새롭게 개정된 《세종한국어》는 첫째, 세종학당 곳곳에서 한국어를 배우고자 하는 열의로 가득 찬 외국인 학습자 중심의 교재를 지향하였습니다. 둘째, 현지 세종학당의 학습 환경에 따라 유연하게 활용할 수 있는 맞춤형 교재로 정비되었습니다. 셋째, 한류 콘텐츠에 대한 외국인들의 관심을 내용에 반영함으로써, 한국어 공부에 대한 학습자의 부담을 낮췄습니다. 마지막으로 세종학당을 대표하는 표준 교재로서 구심점 역할을 담당하고, 이후의 한국어 학습을 위한 연계성도 잘 갖추었습니다.

세종학당은 한국어와 한국 문화로 한국과 세계를 연결하는 대한민국 대표의 국외 한국어교육 기관입니다. 국립국어원과 문화체육관광부는 앞으로도 세종학당재단과 협력하여 전 세계에서 한국어를 사랑하는 이들이 꿈을 이룰 수 있도록 지속적인 노력과 지원을 아끼지 않겠습니다.

끝으로 교재 개발을 위해 최선의 노력을 기울여 주신 연구·집필진과 출판사 관계자분들께 진심으로 감사의 말씀을 드립니다. 《세종한국어》의 새로운 출발과 함께 문화체육관광부와 국립국어원, 세종학당재단이 세계로 더 나아갈 수 있도록 여러분의 따뜻한 관심 부탁드립니다.

2022년 8월
국립국어원장 장소원

세종학당은 한국과 전 세계를 연결하는 한국어·한국 문화 보급 기관입니다. 이번에 개발한 교재는 상호 문화주의에 기반하여 한국어 학습에 대한 학습자의 흥미를 증진함으로써 한국어 의사소통 능력을 향상시키는 것을 목표로 하였습니다. 이를 위해 최근 한국의 상황을 적극적으로 반영하였고 최신 교수법을 구현할 수 있는 새로운 구성과 디자인을 적용하였습니다. 이를 통해 국외 한국어교육의 방향성을 새롭게 제시하고자 하였습니다. 개정《세종한국어》의 구체적 특징은 다음과 같습니다.

첫째, 세종학당의 표준 교육과정인 가형, 나형, 다형 전 과정에 탄력적으로 활용할 수 있도록 '기본 교재'와 '더하기 활동 교재'로 구분하였습니다. '기본 교재'에는 해당 등급에 필요한 핵심적인 내용을 담았으며, '더하기 활동 교재'에는 심화·확장이 필요한 언어 지식과 의사소통 활동을 담았습니다. 이를 통해 다양한 학습자 특성에 맞게 교재를 선택하여 사용할 수 있도록 하였습니다.

둘째, 효과적 교수·학습을 위해 단계별로 단원 구성을 차별화하였으며 학습 내용 또한 언어 발달 단계에 맞는 교수 학습 내용과 절차를 적용하였습니다. 특히 다양한 삽화와 시각적 자료를 적극적으로 제시하여 한국어 학습의 흥미를 극대화할 수 있도록 노력하였습니다.

셋째, 교재 전반에 생생한 한국 문화 내용을 배치하여 학습자들이 상호 문화적 관점에서 한국 문화를 이해하고, 궁극적으로는 자국의 문화와 한국 문화에 대한 바른 태도를 형성할 수 있도록 하였습니다.

넷째, 교재와 함께 '익힘책', '교사용 지도서', '어휘·표현과 문법', 수업용 PPT와 같은 보조 자료들을 개발하여 교사·학습자의 요구에 맞게 교재를 활용할 수 있도록 하였습니다.

이 교재를 기획하고 개발하는 모든 과정에 함께해 주신 국립국어원과 현지 학당과의 협조와 지원을 아끼지 않으신 세종학당재단, 그리고 학습자들이 재미있게 한국어를 배울 수 있도록 멋지게 디자인해 주신 공앤박출판사에 감사의 마음을 전하고 싶습니다. 끝으로 3년이라는 긴 시간 동안 오로지 한국어교육에 대한 열정으로 좋은 교재를 만들어 내기 위해 애써 주신 모든 집필진께 말로는 다할 수 없는 깊은 감사의 마음을 전합니다.

2022년 8월
저자 대표 이정희

차례

-는다면 / ㄴ다면 / 다면 앞에 나오는 내용이 가정이나 조건임을 나타낸다.

1. '-는다면 / ㄴ다면 / 다면'을 사용해서 문장을 만들어서 말해 보십시오.

1) 지금부터 열심히 공부하다 •	• 시험에 합격할 수 있다
2) 내가 선생님이 되다 •	• 함께 사진을 찍다
3) 아침에 일찍 일어나다 •	• 숙제를 내주지 않을 것이다
4) 좋아하는 가수를 만나다 •	• 눈사람도 만들고 눈싸움도 하다
5) 겨울에 눈이 많이 내리다 •	• 수업에 지각하지 않다

지금부터 열심히 공부한다면 시험에 합격할 수 있을 거예요.

2. 다음에서 알맞은 말을 골라 '-는다면 / ㄴ다면 / 다면'을 사용해서 문장을 만들어 보십시오.

비밀을 영원히 지켜 주다	그 은혜를 절대 잊지 않다
한국어를 잘하게 되다	라면을 두 개 끓이다
한국 여행을 많이 하다	네가 안 가다
네가 같이 먹다	나도 안 가다

비밀을 영원히 지켜 준다면 그 은혜를 절대 잊지 않겠습니다.

3. '-는다면 / ㄴ다면 / 다면'을 사용해서 이야기해 보십시오.

돈이 없다면 저는 나가서 아르바이트를 구할 거예요.

1) 돈이 없다   2) 한국에 가다   3) 시간이 많다   4) 내가 .... (이)가 되다

-았으면/었으면 하다 말하는 사람의 희망이나 바람을 나타낼 때 쓴다.

1. '-았으면/었으면 하다'를 사용해서 문장을 바꿔 보십시오.

> 오늘은 너무 피곤해서 빨리 집에 가고 싶어요.
> → 오늘은 너무 피곤해서 빨리 집에 갔으면 해요.

1) 다음에 돌려줘도 괜찮으니까 책을 꼭 다 읽어 보세요.

   → _____.

2) 바쁘지만 그래도 모임에 꼭 참석하고 싶어요.

   → _____.

3) 기회를 봐서 부모님께 말씀드리는 게 좋겠어요.

   → _____.

4) 내가 하는 말을 오해하지 마.

   → _____.

2. 다음에서 알맞은 말을 골라 '-았으면/었으면 하다'를 사용해서 대화를 완성해 보십시오.

| 운전면허를 따다 | 바닷가에 놀러 가다 | 기타를 배우다 | 장학금을 받다 | 전공 공부를 좀 더 하다 |

1) 가: 피아노 말고 배우고 싶은 악기가 더 있어요?

   나: 저는 _____.

2) 가: 이번 학기 목표가 있어요?

   나: 공부를 열심히 해서 꼭 _____.

3) 가: 여름휴가 때 뭘 할까요?

   나: _____. 시원한 풍경을 보면서 좀 쉬고 싶어요.

4) 가: 졸업한 후에 대학원에 갈 거예요, 아니면 취직할 거예요?

   나: 저는 졸업한 후에도 _____. 그래서 대학원 입학 시험을 준비하고 있어요.

5) 가: 이번에는 꼭 _____.

   나: 방학 동안 운전 연습을 열심히 했으니까 할 수 있을 거예요.

3. '-았으면/었으면 하다'를 사용해서 이야기해 보십시오.

> 면접시험을 잘 봐서 이 회사에 꼭 합격했으면 해요.

1) 회사   2) 아르바이트   3) 결혼   4) 휴가

1. 알맞은 말을 골라 다음과 같이 말해 보십시오.

| 개인 방송 채널 만들기 | 캠핑카 여행 | 내가 살 집 짓기 | 패러글라이딩 |

캠핑카 여행
친구들과 함께 캠핑카 여행을 하고 싶어요. 경치 좋은 곳에 차를 주차하고 같이 차도 마시고 이야기도 하면 좋을 것 같아요.

1)

2)

3)

2. 다음에서 알맞은 말을 골라 문장을 완성해서 말해 보십시오.

| 개인 방송 | 채널 | 마라톤 | 완주하다 | 일주 |

1) 소파에 앉아서 텔레비전 _____ 을/를 돌릴 때가 제일 행복하다.

2) 나는 게임을 좋아해서 게임 영상을 보여 주는 _____ 채널을 만들고 싶다.

3) 시민들은 다친 다리로 끝까지 _____ 선수에게 박수를 쳐 주었다.

4) _____ 은/는 42.195km를 달리는 운동 경기이다.

5) 자전거를 타고 전국을 _____ 하였다.

3. 주변 사람들이 어떤 일에 도전하는 것을 본 적이 있습니까? 그것이 무엇인지 이야기해 보십시오.

우리 집은 5년 전에 아버지께서 직접 지으신 거예요. 저도 나중에 제가 살 집을 직접 짓고 싶어요.

1. 다음 대화를 잘 듣고 질문에 답하십시오.

1) 무엇에 대한 영화입니까?

2) 영화에서 두 남자가 첫 번째로 도전한 일은 무엇입니까?

3) 두 남자의 버킷 리스트가 <u>아닌</u> 것을 고르십시오.

①    ②

③    ④

2. 올해 안에 해 보고 싶은 일을 이야기해 보십시오.

1) 올해 안에 꼭 해 보고 싶은 일이 있습니까?

2) 그 일을 하고 싶은 이유는 무엇입니까?

 저는 연말에 파티를 열어서 친구들을 초대했으면 해요. 바쁘지 않다면 직접 요리도 해서 친구들과 나눠 먹고 싶어요. 요즘 회사 일 때문에 친구들을 자주 만나지 못했어요. 그래서 친구들과 만나서 음식도 먹고 이야기도 나누면서 한 해를 마무리하고 싶어요.

1. 다음 글을 읽고 질문에 답하십시오.

어렸을 때 나의 소원은 강아지를 키우는 것이었다. 그러나 부모님은 강아지 키우는 것에 반대하셨다. 가족이 모두 바빠서 강아지를 잘 보살필 시간이 없다는 것이 이유였다. 모든 일을 내가 다 하겠다고 말씀드렸지만 부모님은 안 된다고 하셨다. 대신 부모님은 주말에 나를 '유기견 보호소'라는 곳에 데려가셨다. 그곳에는 주인 없는 강아지들이 많이 있었다. 부모님의 제안으로 나는 한 달 동안 그곳에서 봉사 활동을 했다. 주말마다 가서 강아지들을 목욕시키고 산책도 시켰다. 그러면서 반려동물을 키우려면 해야 하는 일도 많고 책임감도 꼭 필요하다는 것을 알게 되었다.

요즘도 가끔 그때를 생각한다. 지금도 나는 부모님과 함께 살고 있고 강아지를 키워 본 적이 없다. 앞으로 회사에 취직하고 나만의 집을 구하면 그때는 꼭 강아지를 키울 것이다. 강아지를 키우게 된다면 책임감을 가지고 최선을 다해서 키울 것이다.

1) 어렸을 때 '나'의 소원은 무엇이었습니까?

2) '유기견 보호소'는 어떤 곳입니까?

3) '나'는 유기견 보호소에서 무엇을 깨달았습니까?

---

2. 여러분은 어렸을 때 소원이 있었습니까? 그것이 무엇인지, 지금은 어떤지 써 보십시오.

여러분은 소원을 어떻게 빕니까?

정성을 다해서 소원을 비는 사람들의 모습은 아름답다. 소원을 이루고 싶어 하는 간절한 마음이 느껴지기 때문이다.

소원을 비는 방법도 문화에 따라 조금씩 차이가 있다. 한국 사람들은 소원을 어떻게 비는지 살펴보자.

기도

종교가 있는 사람이든 종교가 없는 사람이든 두 손을 모으고 조용히 자신의 바람을 되새기는 모습은 어느 나라에서나 볼 수 있는 보편적인 모습이다.

달맞이

정월 대보름이나 추석에는 보름달이 뜬다. 한국 사람들은 이런 날에 달이 뜨기를 기다려 보름달을 보면서 소원을 빈다.

소원 나무, 소원의 벽

관광지에 가면 소원 나무나 소원의 벽 같은 것들을 볼 수 있다. 사람들이 종이에 자기가 바라는 소원을 적고 그 종이를 나무에 매달거나 벽에 붙이면서 소원이 이루어지기를 빈다.

돌탑

시골이나 산에 가면 길옆에 돌탑들이 있는 것을 볼 수 있다. 지나가는 사람들이 여러 가지 소원을 빌면서 쌓은 것이다. 주변에 있는 돌을 하나씩 하나씩 쌓아서 만드는 돌탑에는 사람들의 정성이 담겨 있다.

-(으)ㄹ 만하다 앞의 행동을 할 가치가 있다는 것을 나타낸다.

1. '-(으)ㄹ 만하다'를 사용해서 문장을 바꿔 보십시오.

> 이 노트북은 작고 가벼워요. 들고 다니기 좋아요.
> → 이 노트북은 작고 가벼워서 들고 다닐 만해요.

1) 경치가 정말 좋아요. 한 번쯤 가 보세요.

→ _____ .

2) 외국에서 한 번쯤 살아 보세요.

→ _____ .

3) 이 노래는 가사가 쉬워서 따라 부르기가 어렵지 않아요.

→ _____ .

4) 처음에는 낯설었는데 지금은 익숙해져서 지내기가 나쁘지 않아요.

→ _____ .

2. '-(으)ㄹ 만하다'를 사용해서 문장을 만들어서 말해 보십시오.

1) 주변 환경이 좋다	살다
2) 일이 많지 않다	참다
3) 옷이 두껍다	아직 쓰다
4) 조금 전에 약을 먹다	혼자 하다
5) 책상이 오래되었지만 깨끗하다	한겨울에도 입다

> 주변 환경이 좋아서 살 만해요.

3. '-(으)ㄹ 만하다'를 사용해서 문장을 만들어 이야기해 보십시오.

> 얼마 전부터 카페에서 아르바이트를 시작했는데 일이 재미있고 할 만해요.

1) 아르바이트   2) 우리 동네   3) _____ 공원   4) _____ 제품(화장품, 옷, …)

-던데 뒤에 나오는 내용과 관련 있는 과거의 경험이나 사실에 대해 말할 때 쓴다.

1. 다음에서 알맞은 말을 골라 '-던데'를 사용해서 대화를 완성해 보십시오.

| 밖에 비 오다 | 계속 기침을 하다 | 모자를 자주 쓰다 | 점심시간에 안 보이다 | 아침에 사 온 빵 맛있다 |

1) 가: _____ 감기에 걸렸나 봐요.

   나: 네. 약을 먹었는데도 잘 안 낫네요.

2) 가: _____ 우산 가지고 왔어요?

   나: 아니요. 안 가지고 왔어요.

3) 가: 수지 생일에 뭘 선물하면 좋을까?

   나: 수지가 평소에 _____ 모자를 주는 거 어때?

4) 가: _____ 사거리에 있는 빵 가게에서 산 거예요?

   나: 네. 그 가게 빵이 다 맛있더라고요.

5) 가: _____ 어디 갔었어요?

   나: 볼일이 있어서 은행에 좀 다녀왔어요.

2. 다음을 보고 '-던데'를 사용해서 대화를 완성해 보십시오.

1)
| **말하기 대회 신청**
7월 15일까지 |

가: 말하기 대회 신청이 7월 15일까지던데 신청했어요 _____ ?

나: 네. 지난주에 신청서 제출했어요.

2)
| **하나 카페**
주말 아르바이트를 구합니다!!
문의: 02-2202-12XX |

가: _____ ?

나: 네. 연락해 볼게요. 알려 줘서 고마워요.

3)
| **머루식당**
신메뉴 |

가: _____ ?

나: 아니요. 아직 안 먹어 봤어요.

4)
| **케이팝 콘서트**
12월 31일 |

가: _____ ?

나: 좋아요. 같이 보러 가요.

3. '-던데'를 사용해서 문장을 완성해 보십시오.

아까부터 계속 시계를 보던데 무슨 약속이 있어요?

1) _____ 무슨 일 있어요?

2) _____ 어디에서 샀어요?

3) _____ -아/어 보세요.

1. 다음에서 알맞은 말을 골라 사진 속 장소의 특징을 말해 보십시오.

현대적이다	전망이 좋다	낭만적이다	촬영지로 유명하다

1)

2)

3)

4)

2. 다음에서 알맞은 말을 골라 문장을 완성해서 말해 보십시오.

여유를 즐기다	색다른 경치를 자랑하다	이국적인 분위기를 풍기다

1) 이번 휴가는 휴양지에서 혼자 _____ 싶습니다.

2) 이 호텔은 다른 나라에 온 것 같은 착각이 들 정도로 _____ .

3) 신기한 바위들로 이루어진 이 산은 다른 곳에서는 볼 수 없는 _____ .

3. 다음을 생각하면 가장 먼저 떠오르는 곳이 어디입니까? 그곳을 친구들과 이야기해 보십시오.

 저는 두바이가 정말 현대적인 도시인 것 같아요. 세계에서 제일 높은 빌딩도 있고 큰 쇼핑몰도 많더라고요. 지금도 계속 새 건물을 짓고 있던데 앞으로 볼 만한 게 더 많아질 것 같아요.

1) 현대적인 도시   2) 역사가 깊은 유적지   3) 여유로운 휴양지   4) 자연경관이 아름다운 곳

1. 다음 대화를 잘 듣고 질문에 답하십시오.

1) 수지 씨는 이번 연휴에 어디에 가려고 합니까? 왜 그곳에 가고 싶어 합니까?

장소	이유

2) 유진 씨는 이번 연휴에 어디에 가려고 합니까? 왜 그곳에 가고 싶어 합니까?

장소	이유

2. 여러분이 가 보고 싶은 곳을 이야기해 보십시오.

1) 어떤 곳을 좋아합니까?

2) 어디를 여행해 보고 싶습니까?

3) 왜 그곳에 가 보고 싶습니까?

> 저는 경치가 아름다운 곳을 좋아해서 다음에 캐나다에 가 보고 싶어요.
> 로키산맥은 살면서 한 번쯤 가 볼 만한 곳인 것 같아요. 거기에서 캠핑을
> 하면서 색다른 경험도 하고 멋진 사진도 많이 남기고 싶어요.

⊕ 더 알아봐요

여행 가 보고 싶은 이유

• 에스엔에스(SNS)에서 유명하다   • 인생 사진을 찍을 수 있다   • 색다른 경험을 해 보고 싶다

1. 다음 글을 읽고 질문에 답하십시오.

	전체 · 블로그 · 카페		
제목		**작성자**	**조회**
친구들하고 여행할 만한 곳 좀 추천해 주세요!!		꿈꾸는 자	25

친구들하고 3박 4일 동안 여행을 가려고 하는데 어디가 좋을까요? 고등학교를 졸업하고 처음으로 같이 가는 여행인데 어디가 좋을지 너무 고민이 됩니다. 저희가 다 돌아다니는 걸 좋아해서 볼 만한 게 많은 곳이면 좋겠습니다. 이국적이고 색다른 분위기를 느낄 수 있는 곳으로 추천 부탁드리겠습니다. 그리고 호텔은 숙박비가 너무 비싸던데 싸고 괜찮은 숙소도 함께 알려 주시면 감사하겠습니다!!

1) 이 사람은 누구하고 며칠 동안 여행을 가려고 합니까?

2) 이 사람이 원하는 곳은 어떤 곳입니까?

2. 위의 사람에게 여행지를 추천해 주는 답글을 써 보십시오.

세종에어 매거진 '**제주도**', 가 볼 만한 곳!!

제주도의 상징 '한라산'

제주도의 뛰어난 자연경관을 만끽하고 싶다면 한라산에 오를 것을 추천한다. 유네스코(UNESCO) 세계자연유산으로 선정된 한라산은 사계절 내내 경치가 아름답기로 유명하다. 초보자를 위한 등산로도 있으니 제주도를 찾는다면 꼭 한라산에 가 볼 것을 추천한다.

한 폭의 그림 같은 '월정리 해변'

푸른 바다가 그림같이 펼쳐진 월정리는 해마다 많은 관광객이 찾는 제주도의 대표적인 해변이다. 파도가 세지 않아 아이들과 함께 가족 여행을 하기에도 좋다. 서핑, 스노클링, 카약 등의 수상 레포츠도 즐길 수 있으니 월정리에서 사랑하는 사람들과 잊지 못할 추억을 만들어 보자.

마음까지 건강해지는 '제주 올레길'

제주도의 진정한 매력은 올레길에서 찾을 수 있다. 오름과 바다가 이어지는 다양한 올레길은 제주도의 숨겨진 보물을 발견하는 기쁨을 선물하고 고민거리도 잊게 만든다. 머리를 비우고 여유롭게 올레길을 걸으면서 몸과 마음이 모두 건강해지는 기분을 느껴 보기 바란다.

젊음이 가득한 '애월 해안도로'

인생 사진을 찍고 싶다면 애월 해안도로에 가 볼 것을 추천한다. 애월 해안도로 주변에는 이국적인 카페와 식당이 많아 에스엔에스(SNS)에 올릴 만한 사진을 찍기에도 좋고, 배를 채우면서 경치를 감상하기에도 좋은 곳이다.

-는대요/ㄴ대요/대요 '-는다고/ㄴ다고/다고 해요'의 줄임 표현으로, 다른 사람에게서 들은 말을 전달할 때 쓴다.

1. 여러분은 다음과 같은 소식을 들었습니다. 이 소식을 다른 친구에게 전달해 보십시오.

1)
민수

회사를 옮길 거예요.

민수 씨가 회사를 옮길 거래요   .

2)
재민

요즘 일이 정말 바빠요.

_____ .

3)
수지

건강이 많이 좋아졌어요.

_____ .

4)
마리

내년에 대학원에 입학할 거예요.

_____ .

5)
유진

이번 휴가 때 바다에 가고 싶어요.

_____ .

⊕ **더 알아봐요**

-(으)ㄹ 거래요 '-(으)ㄹ 거래요'는 미래 또는 추측을 나타내는 '-(으)ㄹ 거라고 해요'의 줄임 표현이다.
　　　　　　　예) 다음 달부터 교통비가 오를 거래요.

2. 다음의 정보를 다른 친구에게 전달해 보십시오.

여기에서 사진을 찍으면 안 된대요.

1)

2)
내일 날씨

오전　　오후

3)
백화점 영업 시간
10:00~20:00
※ 휴무: 마지막 주 월요일

3. 다음을 조사한 후 다른 친구에게 전달해 보십시오.

1) 오늘 날씨
2) 요즘 인기 있는 장소
3) 싸고 좋은 물건
4) 화제가 되고 있는 드라마나 영화

오늘 날씨가 맑고 따뜻하대요. 기온이 22도래요.

-내요, -(으)래요, -재요 '-내요'는 '-냐고 해요'의 줄임 표현이고, '-(으)래요'는 '-(으)라고 해요'의, '-재요'는 '-자고 해요'의 줄임 표현이다.

1. 여러분은 다음과 같은 소식을 들었습니다. 이 소식을 다른 친구에게 전달해 보십시오.

1) 안나
> 내일 조금 더 일찍 만날 수 있어요?

안나 씨가 내일 조금 더 일찍 만날 수 있내요   .

2) 유진
> 진 씨의 생일 선물을 같이 고르러 가요.

.

3) 주노
> 주말에 우리 집으로 놀러 와.

.

4) 마리
> 비행기 표를 얼마에 샀어요?

.

5) 수지
> 우리 수업 끝나고 잠깐 이야기 좀 해요.

.

6) 재민
> 이 영화 보지 마세요.

2. 다음의 명언을 다른 친구에게 전달해 보십시오.

1) 소크라테스
> 너 자신을 알라.

소크라테스가 너 자신을 알랬어요.   .

2) 공자
> 화가 날 때 결과를 생각하자.

→   .

3) 셰익스피어
> 오늘은 이러고 있지만 내일은 어떻게 될지 누가 아는가?

→   .

4) 버지니아 울프
> 다른 누군가가 되려고 하지 말고 나 자신이 되어라.

→   .

3. 여러분은 다른 사람으로부터 기억에 남는 조언이나 위로를 들은 적이 있습니까? 그 내용을 다른 친구에게 전달해 보십시오.

> 저희 어머니는 저에게 다른 사람을 미워하는 일에 시간을 낭비하지 말랬어요.

1. 다음에서 알맞은 말을 골라 문장을 완성해서 말해 보십시오.

기부하다	실패하다	대회가 열리다	경제가 발전하다

1) 4년마다 전 세계가 주목하는 축구 _____ .

2) 경제가 나빠져서 취업에 _____ 사람들이 늘고 있다.

3) 이 가게에서는 다 팔지 못한 빵을 버리지 않고 어려운 사람들에게 _____ .

4) _____ 위해서는 안정적인 중소기업이 많아져야 한다.

---

2. 다음에서 알맞은 말을 골라 기사 제목을 완성해 보십시오.

유행	진출	수상자	흥행 성공

1) **"최민호 3:0으로 라이벌전 승리, 결승전** _____ **"**

2) **"배우 수린이 입기만 하면** _____ **, 너도나도 수린 스타일"**

3) **"영화 〈서울〉 개봉 이후 계속 예매율 1위,** _____ **"**

4) **"전문가들이 예상한 올해의 노벨상** _____ **은 / 는?"**

---

3. 다음과 같이 이야기해 보십시오.

저는 올해 배우 김선우의 활약이 정말 기대돼요. 할리우드에 진출한 작품이 곧 개봉하는데 꼭 흥행에 성공했으면 좋겠어요.

1) 가장 기대되는 영화 / 드라마 / 배우 / 가수 / 선수 등

2) 요즘 가장 유행하는 것

3) 미래 발전 사업

1. 다음 글을 읽고 질문에 답하십시오.

제1회 K-영상제

내가 사랑한 한국

한국을 사랑하는 전 세계인을 위한 특별한 영상제가 열립니다.
한국을 향한 여러분의 마음을 영상에 담아 표현해 보세요.

대상

한국을 사랑하는 사람 누구나

일정 및 신청 방법

주제: 내가 사랑한 한국(*영상에서는 한국어만 사용하세요.)
영상 시간: 최대 10분
신청 기간: 10월 5일~10월 15일(한국 시간)
신청 방법: '한국문화알림재단 홈페이지 -> 온라인 영상제'에 영상 업로드
결과 발표: 10월 31일

수상 혜택

대상: 상금 300만 원
최우수상: 상금 200만 원
우수상: 상금 100만 원

문의: 한국문화알림재단

1) 이 포스터는 어떤 행사를 알리는 포스터입니까?

2) 이 포스터를 통해 무엇을 알 수 있습니까?

2. 위의 포스터 내용을 친구에게 전달하는 메시지를 써 보십시오.

1. 다음 안내 방송을 잘 듣고 질문에 답하십시오.

1) 다음 달에 세종학당에서 어떤 행사가 열립니까?

2) 그 행사에서 무엇을 합니까? 모두 이야기해 보십시오.

3) 행사에 참가하고 싶으면 어떻게 해야 합니까?

⊕ **더 알아봐요**

삼행시

'삼행시'는 세 글자 단어의 각 글자로 말을 연결하는 시를 말한다. 단어의 글자 수가 두 개면 '이행시', 다섯 개면 '오행시'라고 한다.
예) **한**: 한참 펜을 들고 고민해 봤지만 **글**: 글로도 이 마음을 다 표현할 수 없을 것 같아 **날**: 날마다 너만 생각하는 내 마음을…

---

2. 여러분 나라 또는 한국에서 어떤 행사가 열릴 예정입니까? 행사 일정을 알아보고 친구들에게 소개해 보십시오.

1) 어떤 행사가 열립니까?

2) 언제, 어디에서 열립니까?

3) 행사에서 무엇을 합니까?

4) 행사에 참여하고 싶으면 어떻게 해야 합니까?

12월 31일에 큰 콘서트가 열린대요. 인기 있는 가수들이 많이 나와서 올해 유행한 노래를 다 들을 수 있고 가수들이 서로의 노래를 바꿔 부르는 무대도 있대요. 콘서트 표는 11월 1일부터 판매하는데 이 사이트에서 구매하래요.

세종신문

뉴스 검색 🔍

종합 ●●● 정치 경제 사회 연예 생활/문화 세계 IT/과학

국가 경쟁력 높이는 '손흥민 선수'

손흥민 경제 효과 약 2조 원, 앞으로 더 커질 듯

가수 시온 콘서트, 팬들 쌀 1,000kg 기부

발전하는 팬덤의 기부 문화

서울시, "3년 안에 플라스틱 사용 50% 줄인다!"

에스엔에스(SNS)에서 유행하는 텀블러 사용 챌린지

세종학당재단, "온라인 한국어 교육 프로그램 늘릴 것"

"더 깊이 한국 문화를 체험하고 싶어요", 한국 방문 장학생 30명 선발

전기 자동차의 시대가 열렸다!

친환경 바람 타고 전기 자동차 판매량 '쑥~'

(으)로 인해서 앞에 나오는 내용이 원인이나 이유가 됨을 나타낸다. '(으)로 인해'라고도 할 수 있다.

1. '(으)로 인해서'를 사용해서 문장을 만들어서 말해 보십시오.

1) 대기 오염 •	• 비행기가 취소되다
2) 산불 •	• 경기에 나갈 수 없다
3) 시험 •	• 건강이 나빠지다
4) 폭우 •	• 스트레스를 받는 학생들이 많다
5) 어깨 수술 •	• 넓은 숲이 사라지다

대기 오염으로 인해서 건강이 나빠졌습니다.

2. 기자가 되어 다음 소식을 '(으)로 인해서'를 사용해서 전달해 보십시오.

어젯밤, 큰불, 집 5채, 불에 타다
→ 어젯밤 큰불로 인해서 집 5채가 불에 탔습니다.

1) 올겨울, 추운 날씨, 감기 환자, 증가하다

→ _____.

2) 오늘 아침, 큰비, 도시 전체, 물에 잠기다

→ _____.

3) 오늘 오후 예정되다, 축구 경기, 태풍, 취소되다

→ _____.

4) 최근, 스트레스, 게임에 중독되다, 청소년이 증가하다

→ _____.

3. '(으)로 인해서'를 사용해서 문장을 만들어 보십시오.

지진으로 인해서 건물이 무너졌다.

1) 일회용품 사용 증가

→ _____.

2) 교통사고

→ _____.

3) 비싼 집값

→ _____.

4) 무리한 다이어트

→ _____.

-(으)면서 앞의 내용과 연계되어 뒤의 내용이 일어남을 나타낼 때 사용한다.

1. '-(으)면서'를 사용해서 문장을 만들어서 말해 보십시오.

1) 강이 넘치다 •   • 예전보다 건강해지다
2) 교통사고가 나다 •   • 건물이 무너지다
3) 지진이 발생하다 •   • 고속도로가 막히다
4) 경제가 나빠지다 •   • 집이 물에 잠기다
5) 퇴근 후에 운동을 하다 •   • 취업이 힘들어지다

> 강이 넘치면서 집이 물에 잠겼다.

2. 다음에서 알맞은 말을 골라 '-(으)면서'를 사용해서 대화를 완성해 보십시오.

| 스트레스를 받다 | 비가 내리지 않다 | 야식을 끊다 | 회사가 많이 생기다 |

1) 가: 요즘 산불이 자주 발생하는 것 같아요.

    나: 오랫동안 _____ 건조해져서 그래요.

2) 가: 날씬해진 것 같아요.

    나: 그래요? 요즘 _____ 살이 좀 빠지기 시작했어요.

3) 가: 이곳이 예전하고 달리 활기가 느껴지네요.

    나: 네. 주변에 _____ 사람들도 많아지고 가게도 많아졌어요.

4) 가: 언제부터 머리가 아프기 시작했어요?

    나: 지난주에 시험 때문에 _____ 두통이 시작됐어요.

3. '-(으)면서'를 사용해서 순서대로 이야기해 보십시오.

태풍이 오다 → 비바람이 많이 불다 → 나무가 쓰러지다 → 전기선이 끊어지다

> 태풍이 오면서 비바람이 많이 불었어요.

1. 다음에서 알맞은 말을 골라 그림 속 상황을 말해 보십시오.

실종되다	화산 폭발	가뭄이 들다	부상을 입다

1)

2)

3)

4)

2. 다음에서 알맞은 말을 골라 문장을 완성해서 말해 보십시오.

사망자	산불	전염병	피해를 입다	산사태가 나다

1) 어제 발생한 지진으로 인해 _____ 도로가 끊겼다.

2) 대학생들이 폭우로 인해서 _____ 농촌을 방문해서 봉사 활동을 했다.

3) 지난해 발생한 교통사고 _____ 은/는 265명으로 1년 전보다 27명 줄어들었다.

4) 가을에는 대기가 건조하고 바람이 불어서 _____ 이/가 자주 발생한다.

5) 최근 _____ 을/를 예방하기 위해서 마스크를 쓰는 사람들이 늘어나고 있다.

3. 사건이나 사고를 경험하거나 본 적이 있습니까? 배운 표현을 두 개 이상 사용해서 여러분이 경험한 사건과 사고를 이야기해 보십시오.

 어렸을 때에 우리 고향에서 지진이 난 적이 있어요. 지진으로 인해 사람들이 많이 다쳤어요. 사망자하고 실종자가 많아서 너무 슬펐어요.

1. 다음 안내 방송을 잘 듣고 질문에 답하십시오.

1) 이 방송은 어디에서 나오는 안내 방송입니까?

① 공항 안내 방송

② 지하철 안내 방송

③ 비행기 안내 방송

④ 버스 터미널 안내 방송

2) 화재가 났을 때 해야 할 행동으로 맞으면 ○, 다르면 × 표시를 하십시오.

① 화재가 나면 가장 먼저 비상벨을 누르고 화재 위치를 알려야 한다.　　　　(　　　)

② 유독 가스를 막기 위해서는 손으로 입을 가려야 한다.　　　　(　　　)

③ 철로를 따라 대피할 때에는 건너편에서 오는 지하철을 주의해야 한다.　　(　　　)

2. 사고 예방과 관련한 안내 방송을 들어 본 적이 있습니까? 친구들과 함께 다음 상황에서의 안내 방송을 만들어서 이야기해 보십시오.

> 안내 말씀 드리겠습니다. 최근 술을 마시고 바다에 들어가서 물에 빠지는 사고가 자주 발생하고 있습니다. 술을 마시고 수영을 하는 것은 매우 위험합니다. 술을 마신 후에는 바다에 들어가지 마시고 반드시 안전한 곳에서 휴식을 취하시기 바랍니다.

1) 해수욕장 안전을 위한 안내 방송

2) 비행기 내 안전을 위한 안내 방송

3) 안전한 등산을 위한 안내 방송

4) 교실에서의 안전을 위한 안내 방송

1. 다음 글을 읽고 질문에 답하십시오.

날짜	10월 30일	날씨	흐림

　　퇴근을 하고 집으로 오는 길에 교통사고가 났다. 운전을 한 지 5년 만에 처음으로 난 교통사고였다. 음악을 들으면서 운전을 하고 있었는데 사거리에서 오토바이가 갑자기 나타났다. 오토바이를 피하기 위해 브레이크를 밟으면서 뒤차가 내 차에 부딪혔다. 다행히 나는 크게 다치지 않았고, 자동차만 조금 부서졌다. 뒤차 운전자도 큰 부상을 당하지는 않았다. 교통사고로 인해서 주변 도로가 막혔지만, 경찰이 도와줘서 빨리 해결될 수 있었다. 사고 처리를 마친 후에 병원으로 가서 검사를 받았다. 앞으로 교통사고가 나지 않도록 더욱 조심해서 운전을 해야겠다.

1) 오늘 무슨 일이 있었습니까?

① 뒤차와 교통사고

② 경찰차와 교통사고

③ 오토바이와 교통사고

2) 윗글의 내용과 같은 것을 고르십시오.

① '나'는 5년 전에 교통사고가 났다.

② '나'는 경찰서에 전화를 해서 사고를 알렸다.

③ '나'는 교통사고로 인해 크게 다쳐서 병원에 갔다.

④ '나'는 오토바이를 피하기 위해 차를 급하게 멈췄다.

2. 다음 그림을 보고 어떤 사고가 났는지를 써 보십시오.

....

....

....

알아 두면 유용한 사고 예방 표지판

이 표지판은 '산사태 주의' 표지판입니다. 산사태가 발생할 위험이 있는 지역에는 이 표지판이 있으니 운전을 할 때 주의해야 합니다.

이 표지판은 '결빙 주의' 표지판입니다. 추운 겨울에 눈이 쌓이면 도로가 얼어서 길이 매우 미끄럽습니다. 얼음이 자주 생기는 길에 이 표지판이 있으니 운전할 때 주의해야 합니다.

이 표지판은 '어린이 보호 구역' 표지판입니다. 교통사고로부터 어린이들을 보호하기 위하여 유치원, 초등학교 주변 도로를 어린이 보호 구역으로 지정하고 있습니다. 어린이 보호 구역에서는 시속 30km 이내로 운전을 해야 하고 주차도 안 됩니다.

이 표지판은 '노인 보호 구역' 표지판입니다. 노인들은 움직임이 빠르지 않기 때문에 길을 건널 때 위험할 수 있습니다. 운전을 하면서 노인 보호 구역을 지날 때에는 시속 30km 이내로 천천히 운전해야 합니다.

이 표지판은 '공사 중' 표지판입니다. 근처에서 공사를 하고 있다는 것을 안내하기 위한 표지판입니다. 운전을 하다가 이 표지판을 보면 속도를 줄이고 천천히 운전해야 합니다.

이 표지판은 '야생동물 주의' 표지판입니다. 산에서는 야생동물이 도로에 나타날 수 있습니다. 운전을 하다가 이 표지판을 보면 야생동물이 나타날 수도 있기 때문에 속도를 줄이고 천천히 운전해야 합니다.

-냐면 '-냐고 하면'의 줄임 표현으로, 질문을 반복하면서 뒤의 내용을 이야기할 때 쓴다.

1. '-냐면'을 사용해서 문장을 만들어서 말해 보십시오.

무슨 영화를 볼 거냐면요. 새로 개봉한 코미디 영화를 볼 거예요. (보다)

1) 점심 때 뭘 _____. 불고기를 구워서 먹었어요. (먹다)

2) 왜 병원에 _____. 농구하다가 다리를 다쳐서 병원에 갔어요. (가다)

3) 아르바이트를 어떻게 _____. 학교 게시판을 보고 구했어요. (구하다)

4) 인터넷으로 어떻게 _____. 물건을 고른 후에 '결제하기'를 누르면 돼요. (주문하다)

2. '-냐면'을 사용해서 대화를 완성해 보십시오.

비밀번호는 어떻게 바꿔?

비밀번호를 어떻게 바꾸냐면 홈페이지에서 비밀번호 변경을 누르면 돼.

1) 가: 퇴근 후에 뭘 해요?

나: _____ 집에서 요가를 해요.

2) 가: 주말에 뭐 했어?

나: _____ 기숙사에서 하루 종일 드라마를 봤어.

3) 가: 어떻게 영상 통화를 해요?

나: _____ 회원 가입을 한 후에 통화를 누르면 돼요.

4) 가: 이 구두를 어디에서 샀어요?

나: _____ 학교 근처에 있는 구두 가게에서 샀어요.

3. '-냐면'을 사용해서 이야기해 보십시오.

주말에 뭐 해요?

주말에 뭐 하냐면요. 집에서 쉬거나 공원에서 산책을 해요.

1) 여가 활동   2) 좋아하는 음식   3) 자주 가는 장소   4) 친한 친구

-기가 쉽다, 어렵다, 힘들다, 편하다   앞에 나오는 일을 하거나 그 일이 일어나는 것이 쉽거나 어렵다는 것을 말할 때 사용한다.

1. '-기가 쉽다, 어렵다, 힘들다, 편하다'를 사용해서 문장을 만들어 말해 보십시오.

1) 눈이 쌓이다 •	• 맛집을 찾다
2) 예매하지 않다 •	• 교통사고가 나다
3) 인터넷에서 검색하다 •	• 눈이 나빠지다
4) 열심히 공부하지 않다 •	• 시험에 합격하다
5) 스마트폰을 자주 사용하다 •	• 좋은 자리의 표를 구하다

 눈이 쌓이면 교통사고가 나기가 쉬워요.

2. '-기가 쉽다, 어렵다, 힘들다, 편하다'를 사용해서 문장을 만들어 보십시오.

 삼계탕, 요리하다
→ 삼계탕은 요리하기가 어려운 음식이에요.

1) 온라인 쇼핑, 환불하다

→ ....

2) 피아노, 혼자서 배우다

→ ....

3) 환절기, 감기에 걸리다

→ ....

4) 외국인, 사투리를 이해하다

→ ....

3. '-기가 쉽다, 어렵다, 힘들다, 편하다'를 사용해서 이야기해 보십시오.

 김치볶음밥은 만들기가 아주 쉬워요.

1) 하기 쉬운 것   2) 하기 어려운 것   3) 하기 힘든 것   4) 하기 편한 것

1. 다음에서 알맞은 말을 골라 그림에 대해 말해 보십시오.

| 파일을 다운 받다 | 에스엔에스(SNS)에 사진을 올리다 | 온라인 강의를 듣다 | 화상 회의를 하다 |

회사에 출근하는 대신에 집에서 화상 회의를 하면서 일을 해요.

1)

2)

3)

2. 다음에서 알맞은 말을 골라 문장을 완성해서 말해 보십시오.

| 맛집을 검색하다 | 댓글을 쓰다 | 회원 가입을 하다 | 사진을 첨부하다 | 마우스를 클릭하다 |

1) 게시판에 글을 쓸 때 _____ 사람들이 더 이해하기가 쉬울 거예요.

2) 이 사이트에서 파일을 다운 받기 위해서는 _____ .

3) 도서관에서는 _____ 소리도 시끄럽게 들릴 수 있어요.

4) 저는 여행을 가기 전에 항상 _____ 식당을 예약해요.

5) 에스엔에스(SNS)에 친구의 결혼 소식이 올라왔어요. 그래서 축하한다고 _____ .

3. 여러분이 오늘 컴퓨터나 스마트폰을 사용해서 한 일을 이야기해 보십시오.

 저는 오전에 온라인으로 한국어 수업을 들었어요. 수업이 끝난 후에는 식당에 가서 밥을 먹으면서 음식 사진을 찍어서 에스엔에스(SNS)에 올렸어요.

1. 다음 대화를 잘 듣고 질문에 답하십시오.

1) 두 사람은 무엇에 대해서 이야기하고 있습니까?

① 운동 학원

② 운동 사이트

③ 퇴근 이후 계획

2) 들은 내용과 같은 것을 고르십시오.

① 마리는 집에서 운동을 하고 있다.

② 마리는 운동 영상을 찍어서 인터넷에 올린다.

③ '운동소년' 사이트에서는 가족과 함께할 수 있는 운동을 가르쳐 준다.

2. 여러분은 온라인으로 무언가를 배운 적이 있습니까? 온라인으로 배운 경험을 이야기해 보고, 친구에게 추천해 보십시오.

> 저는 요리하는 것을 좋아해요. 그래서 '만능요리교실' 블로그에 가서 한국 음식 만드는 법을 배우고 있어요. 블로그에서는 준비해야 할 재료하고 요리 방법을 친절하게 소개해 줘서 요리하기가 쉬워요. 하지만 가끔 한국 요리 재료를 구하기가 어려운 경우가 있어서 아쉬워요.

1) 무엇을 배웠습니까?

2) 어디에서 배웠습니까?

3) 온라인으로 배우는 것의 장점과 단점은 무엇입니까?

1. 다음 글을 읽고 질문에 답하십시오.

 '우리동네가게'는 집 근처에 사는 이웃들과 중고 물건을 거래하는 앱이에요.
동네 주민들과의 따뜻한 거래를 지금 경험해 보세요.

▶ 포장이나 택배비 없이 우리 동네 근처에서 쉽고 편하게 거래할 수 있어요.

▶ 우리 동네에 살고 있는 이웃들끼리 거래를 해서 믿을 수 있어요.

▶ 거래 후기를 보고 상대방이 믿을 수 있는 사람인지 알 수도 있어요.

▶ 그리고 1:1 채팅을 통해 자유롭게 약속 시간을 정할 수 있어요.

★★★★★ 테이   좋네요. 같은 동네에 사는 이웃과 거래하니까 믿을 수 있어요.

★★☆☆☆ 김문익   동네 사람하고만 거래를 하니까 필요한 물건이 거의 없거나 잘 안 팔려요.

★★★★☆ 알라딘   만족해요. 필요한 물건을 싸게 살 수 있고 안 쓰는 물건을 팔 수도 있어서 만족해요.

4.5 ★★★★☆ **1000만 회 이상 다운로드**   **만 12세 이상**   ⬇ 설치

1) '우리동네가게'를 통해서 무엇을 할 수 있습니까?

2) 이 글의 내용과 <u>다른</u> 것을 고르십시오.

① 이 앱에는 채팅을 할 수 있는 기능이 있다.

② 이 앱에서 물건을 거래할 때에는 물건을 택배로 보낸다.

③ 이 앱에서는 같은 동네에 사는 사람끼리만 거래할 수 있다.

④ 이 앱에서는 거래하려고 하는 사람에 대한 거래 후기를 읽을 수 있다.

2. 여러분이 자주 사용하는 휴대폰 앱은 무엇입니까? 자주 사용하는 앱의 후기를 써 보세요.

앱 이름: 내일의집 ★★★★☆	이 앱은 사람들이 자기 집의 인테리어를 소개하고 예쁜 가구나 물건을 알려 주는 앱이에요. 이사할 때 이 앱을 봤는데, 사진과 후기가 많아서 도움이 많이 됐어요. 그리고 사진 속에 있는 가구를 직접 살 수도 있어서 편리해요.
1) 앱 이름: ☆☆☆☆☆	
2) 앱 이름: ☆☆☆☆☆	

한국 생활에서 유용한 앱

한국에서 지낼 때 많이 활용할 만한 유용한 앱은 무엇이 있을까요? 그리고 한국인들과 소통하기 위해서 필요한 앱은 무엇일까요? 한국 생활을 위해 필요한 앱 그리고 한국인과 소통할 때에 필요한 앱을 소개합니다.

채팅 앱

채팅 앱을 이용하면 인터넷이 되는 곳에서 무료로 메시지나 사진을 보낼 수 있고 영상 통화도 할 수 있습니다. 여러 명이 대화방을 만들어서 소통을 할 수도 있습니다. 최근에는 커피, 과일, 화장품 등 선물을 보내거나 돈을 송금할 수도 있습니다. 그래서 많은 한국인들은 채팅 앱을 이용해서 가족, 친구들과 소통을 합니다.

지도 앱

지도 앱을 이용하면 한국에서 길을 찾거나 대중교통을 이용할 때 도움을 받을 수 있습니다. 지도 앱에 목적지를 입력하면 현재 위치에서 가장 빨리 목적지에 갈 수 있는 방법을 알려 줍니다. 그리고 운전을 하는 사람을 위한 내비게이션 기능도 있습니다. 한국에서 여행을 할 때에 낯선 곳을 찾아가야 한다면 이 앱을 사용해 보세요.

배달 앱

한국에서는 거의 모든 음식이 배달이 됩니다. 그래서 배달 앱을 이용하면 식당에 가지 않고도 집이나 숙소에서 맛있는 음식을 먹을 수 있습니다. 사람들이 자주 배달해 먹는 치킨이나 피자 외에도 커피, 아이스크림도 주문할 수 있습니다. 그리고 앱 안에서 신용 카드로 바로 결제를 할 수 있어서 현금이 없어도 편리하게 주문을 할 수 있습니다.

-(으)ㄹ 뿐만 아니라 앞에 나오는 내용에 뒤에 나오는 내용까지 더해진다는 것을 나타낸다.

1. '-(으)ㄹ 뿐만 아니라'를 사용해서 문장을 만들어서 말해 보십시오.

1) 이 드라마는 내용이 좋다	• 배우들의 연기도 뛰어나다
2) 이 노트북은 가격이 저렴하다	• 매우 친절하다
3) 제주도는 자연경관이 아름답다	• 기능이 다양하다
4) 수잔은 성격이 적극적이다	• 먹을거리가 풍부하다
5) 이번 일은 회사에 도움이 되다	• 개인적으로도 배울 게 많다

이 드라마는 내용이 좋을 뿐만 아니라 배우들의 연기도 뛰어납니다.

2. '-(으)ㄹ 뿐만 아니라'를 사용해서 문장을 완성해 보십시오.

이 카페는 커피 맛이 별로일 뿐만 아니라 분위기도 좋지 않습니다.

1) 이 가게는 과일이 .... 신선합니다.

2) 제 친구는 한국어를 .... 한국 문화도 잘 압니다.

3) 우리 동네는 교통이 .... 공원도 많습니다.

4) 이번 시험은 문제가 .... 시험 시간도 너무 짧았습니다.

3. '-(으)ㄹ 뿐만 아니라'를 사용해서 이야기해 보십시오.

한국 여행은 정말 즐거웠을 뿐만 아니라 배운 것도 많았어요.

1) ....한국.......... 여행   2) 한국어 공부

3) 우리 반 친구 .... 씨   4) 자주 가는 장소(.......... 마트 / .... 동네 / .... 공원)

-게 하다 어떤 일을 하도록 시키거나 어떤 상태가 되도록 만드는 것을 나타낸다.

1. '-게 하다'를 사용해서 문장을 바꿔 보십시오.

친구가 웃어요.

→ 제가 친구를 웃게 했어요.

1) 친구가 깜짝 놀랐어요.

→ 제가   .

2) 부모님의 마음이 아팠어요.

→ 제가   .

3) 동생이 라면을 사 왔어요.

→ 제가   .

4) 아이가 수영을 배웠어요.

→ 제가   .

2. 그림을 보고 '-게 하다'를 사용해서 부모님의 행동을 이야기해 보십시오.

어머니가 아이에게 우유를 마시게 했어요.

1)

2)

3)

4)

3. '-게 하다'를 사용해서 문장을 만들어 보십시오.

부모님 → 저
부모님은 저에게 많은 것을 경험하게 해 주셨어요.

1) 부모님 / 선생님 → 저

                                                                      .

2) 저 → 친구

                                                                      .

3)   → 저

                                                                      .

1. 다음에서 알맞은 말을 골라 식품의 효과를 말해 보십시오.

| 면역력을 높이다 | 피로 회복에 좋다 | 기억력을 향상시키다 | 뼈를 튼튼하게 하다 |

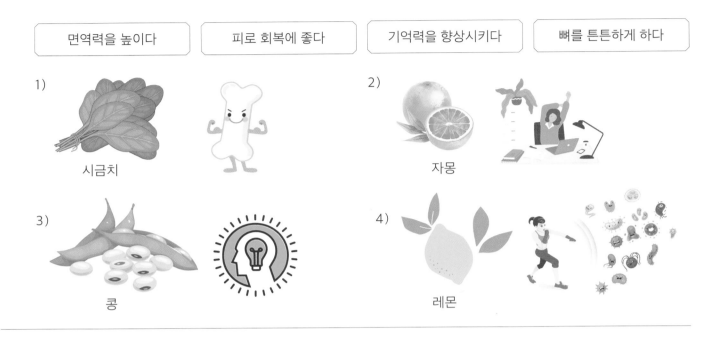

1) 시금치

2) 자몽

3) 콩

4) 레몬

2. 영양사가 되어 다음과 같이 말해 보십시오.

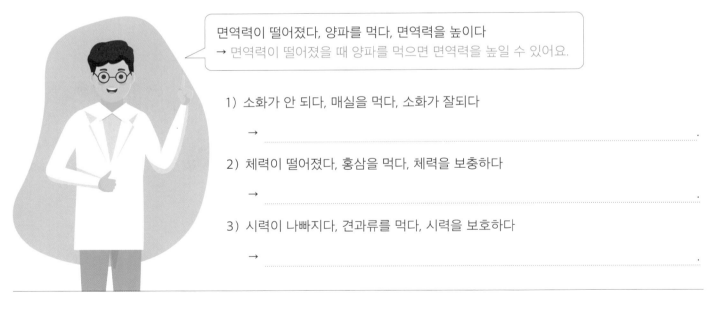

면역력이 떨어졌다, 양파를 먹다, 면역력을 높이다
→ 면역력이 떨어졌을 때 양파를 먹으면 면역력을 높일 수 있어요.

1) 소화가 안 되다, 매실을 먹다, 소화가 잘되다

→ _____

2) 체력이 떨어졌다, 홍삼을 먹다, 체력을 보충하다

→ _____

3) 시력이 나빠지다, 견과류를 먹다, 시력을 보호하다

→ _____

3. 여러분은 요즘 건강이 어떻습니까? 친구에게 추천해 줄 만한 음식은 무엇입니까? 다음과 같이 이야기해 보십시오.

 저는 요즘 피로가 계속 쌓이고 잘 안 풀리는 것 같아요.

그럴 때는 키위나 오렌지같이 비타민이 풍부한 과일을 자주 먹는 게 좋아요.

1. 다음 방송을 잘 듣고 질문에 답하십시오.

01

1) 토마토는 어떤 과일과 잘 어울립니까? 그 이유는 무엇입니까?

2) 토마토를 설탕과 같이 먹으면 좋지 않은 이유는 무엇입니까?

---

2. 다음을 읽고 질문에 답하십시오.

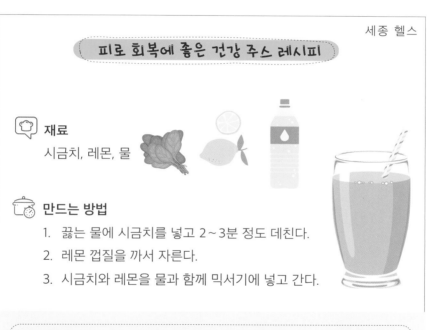

세종 헬스

피로 회복에 좋은 건강 주스 레시피

재료
시금치, 레몬, 물

만드는 방법
1. 끓는 물에 시금치를 넣고 2~3분 정도 데친다.
2. 레몬 껍질을 까서 자른다.
3. 시금치와 레몬을 물과 함께 믹서기에 넣고 간다.

효과
　시금치는 철분이 매우 풍부한 채소이다. 철분은 우리 몸에 꼭 필요한 영양소 가운데 하나로 철분이 부족하면 자주 피곤할 뿐만 아니라 어지러움을 느낄 수도 있다. 그리고 레몬에 풍부하게 들어 있는 비타민 C는 철분을 우리 몸에 잘 흡수되게 해 피로를 싹 날려 준다.

1) 시금치를 어떻게 준비해야 합니까?

2) 레몬은 시금치와 함께 먹을 때 어떤 효과가 있습니까?

1. 여러분 나라의 건강식품을 친구들과 같이 이야기해 보십시오.

   1) 여러분 나라의 사람들이 자주 먹는 건강식품은 무엇입니까?

   2) 그 식품은 어떤 효과가 있습니까?

   3) 그 식품을 어떻게 먹는 것이 좋습니까?

2. 한국 친구들에게 여러분 나라의 건강식품을 알리는 글을 써 보십시오.

암 예방을 위한 건강한 식습관 10가지

1. 다양한 식단을 하루 세끼 규칙적으로 먹기

바쁘더라도 식사를 거르지 않고 음식을 골고루 하루 세 번 정해진 시간에 먹는 것이 좋다.

2. 다양한 색의 채소와 과일 먹기

채소와 과일은 정상 세포가 암으로 변하는 것을 막아 준다. 식품의 색에 따라 예방하는 암의 종류가 다르니 다양한 색의 채소와 과일을 먹는 것이 좋다.

3. 지나친 육식 피하기

장 속에 육류가 오래 머물면 독소가 증가하기 때문에 지나친 육식은 피하는 것이 좋다.

4. 건강한 탄수화물 먹기

건강을 위해서는 흰쌀보다 현미나 잡곡밥을 먹는 것이 좋고 흰 빵보다 통밀빵이 좋다.

5. 불에 탄 음식 먹지 않기

고기나 생선이 불에 타면 암을 유발하는 물질이 발생한다. 탄 부분을 꼭 자르고 먹는 것이 좋다.

6. 가공식품 적당히 먹기

햄·베이컨·소시지와 같은 가공식품에는 암을 유발하는 성분이 들어 있기 때문에 되도록 먹지 않는 것이 좋다.

7. 간식으로 매일 견과류 먹기

매일 조금씩 견과류를 먹으면 암 예방에 효과적이다.

8. 과식하지 않기

과식은 소화 기관에 부담을 주어 면역력을 떨어지게 하기 때문에 피하는 것이 좋다.

9. 과음하지 않고 기름진 안주 피하기

지나친 음주는 모든 암 발생률을 높이는 안 좋은 습관이다. 술을 마시더라도 적당히 마시는 것이 좋고 기름진 안주와 함께 먹지 않는 것이 좋다.

10. 물 자주 마시기

물은 우리 몸에 필요한 영양소 공급에 도움을 줄 뿐만 아니라 불필요한 노폐물이 배출될 수 있게 돕는다. 건강을 위해서는 물을 조금씩 자주 마시는 것이 좋다.

-(으)ㄹ 뻔하다   어떤 일이 실제로 일어나지는 않았지만 그럴 가능성이 매우 높았음을 나타낸다.

1. '-(으)ㄹ 뻔하다'를 사용해서 문장을 만들어서 말해 보십시오.

> 1) 양손에 접시를 들고 옮기다 •　　　　　　　　• 음식을 쏟다
>
> 2) 줄넘기를 하다 •　　　　　　　　• 제가 탄 보트가 뒤집히다
>
> 3) 친구의 얼굴이 많이 변하다 •　　　　　　　　• 시험에 떨어지다
>
> 4) 큰 배가 지나가면서 파도가 치다 •　　　　　　　• 줄에 걸려서 넘어지다
>
> 5) 한 문제만 더 틀리다 •　　　　　　　　• 못 알아보다

 양손에 접시를 들고 옮기다가 음식을 쏟을 뻔했어요.

2. 다음에서 알맞은 말을 골라 '-(으)ㄹ 뻔하다'를 사용해서 빈칸을 채워 보십시오.

> 놓치다　　　　지각하다　　　　못 만나다　　　　못 내리다　　　　사고가 나다

> 　　오늘은 운이 좋은 날일까, 나쁜 날일까? 아침에 늦잠을 잤는데 엘리베이터까지 늦게 와서 버스를
> 1) ＿＿＿＿＿＿＿＿＿＿＿. 다행히 버스를 타기는 했는데, 버스 앞으로 갑자기 오토바이가 끼어드는
> 바람에 2) ＿＿＿＿＿＿＿＿＿＿＿＿＿＿＿. 나는 8시 59분에 겨우 사무실에 도착했다.
> 조금만 늦었으면 3) ＿＿＿＿＿＿＿＿＿＿＿＿.
> 　　오전에 거래처 직원과 회의를 하기로 했다. 그런데 시간이 지나도 오지 않아서 전화를 해 보니 그 직원이
> 약속 장소를 잘못 알고 있었다. 전화를 하지 않았으면 4) ＿＿＿＿＿＿＿＿＿＿＿＿.
> 　　퇴근해서 집으로 돌아오는 버스를 탔다. 하루 종일 너무 피곤해서 버스에서 졸다가 눈을 떠 보니 어느새
> 집 앞에 도착했다. 조금만 늦게 일어났으면 5) ＿＿＿＿＿＿＿＿＿＿＿.

3. 그림을 보고 '-(으)ㄹ 뻔하다'를 사용해서 이야기해 보십시오.

 영화가 너무 지루해서 보다가 잠들 뻔했어요.

1)	2)	3)	4)

소리를 지르다	나무가 쓰러지다	휴대폰을 놓고 나오다	불이 나다

아무 명사(이)나 여러 가지 중에서 특별히 정해지지 않은 어떤 대상을 나타낼 때 쓴다.

1. '아무 명사(이)나'를 사용해서 대화를 완성해 보십시오.

1) 가: 주말에 언제 시간이 되세요?

나: 저는 주말에 일이 없어서 _____ 다 괜찮아요.

2) 가: 어느 식당에서 점심을 먹을까요?

나: 이 골목에 있는 식당은 다 비슷하니까 _____ 들어갑시다.

3) 가: 벽돌을 쌓는 건 _____ 할 수 있어요?

나: 아니요. 기술이 필요하기 때문에 기술자가 해야 돼요.

4) 가: 물건이 여러 개 있네요. 어떤 것을 가지고 가면 돼요?

나: 색깔만 다르고 모양은 다 똑같은 거니까 _____ 가지고 가세요.

2. '아무 명사(이)나'를 사용해서 대화를 완성해 보십시오.

호텔들이 많네. 어떤 호텔로 들어갈까?

밤이 늦었으니까 그냥 아무 호텔이나 들어가 보자.

1) 가: 뭐 좀 마실래요? 물을 드릴까요, 음료수를 드릴까요?

나: 지금 너무 목이 마르니까 _____ .

2) 가: 이 가게에는 미리 예약한 손님만 올 수 있어요?

나: 아니에요. 예약하지 않아도 _____ .

3) 가: 어떤 종이를 드릴까요?

나: _____ 메모만 할 수 있으면 돼요.

4) 가: 상담이 처음이라서 좀 어색하고 부끄럽네요. 무슨 말을 해야 할까요?

나: 제가 다 들어드릴 테니까 그냥 _____ .

3. '아무 명사(이)나'를 사용해서 이야기해 보십시오.

저는 싫어하는 음식이 별로 없어요. 아무 음식이나 다 좋아해요.

1) 음식   2) 약속 시간   3) 여행 장소   4) 자리   5) 일/아르바이트

세종한국어 4A · (07) 버스가 흔들려서 넘어질 뻔했어요 · 어휘와 표현

감정

1. 다음에서 알맞은 말을 골라 문장을 완성해서 말해 보십시오.

떨리다	자랑스럽다	얼굴을 들 수가 없다	깜짝 놀라다

1) 어제 한 실수가 생각나자 너무 부끄러워서 ⋯⋯⋯⋯⋯⋯⋯⋯⋯⋯⋯⋯⋯⋯⋯ .

2) 발표를 하려고 앞에 나갔는데 너무 ⋯⋯⋯⋯⋯⋯⋯⋯⋯⋯⋯ . 그래도 큰 소리로 발표를 시작했어요.

3) 어려운 문제를 혼자 해결했어요. 저 자신이 ⋯⋯⋯⋯⋯⋯⋯⋯⋯⋯ 생각했어요.

4) 새벽에 울리는 초인종 소리에 ⋯⋯⋯⋯⋯⋯⋯⋯⋯⋯⋯ 잠에서 깼어요.

---

2. 두 가지 표현 중에서 알맞은 말을 골라 문장을 완성해서 말해 보십시오.

1)
보람을 느끼다	보람이 없다

• 그녀는 계획한 일을 하나하나 실천하면서 ⋯⋯⋯⋯⋯⋯⋯⋯⋯⋯⋯⋯⋯⋯ .

• 그녀는 열심히 뛰어왔지만, 버스가 이미 출발해서 뛰어온 ⋯⋯⋯⋯⋯⋯⋯⋯⋯ .

2)
얼굴이 빨개지다	얼굴이 하얘지다

• 큰 개가 다가오자 아이는 겁이 나서 ⋯⋯⋯⋯⋯⋯⋯⋯⋯⋯⋯⋯⋯⋯⋯ .

• 사랑 고백을 받은 그는 부끄러워서 ⋯⋯⋯⋯⋯⋯⋯⋯⋯⋯⋯⋯⋯⋯⋯ .

3)
얼굴을 들 수가 없다	얼굴을 들고 다니다

• 죄가 없다는 것이 밝혀져서 그는 사람들 앞에서 ⋯⋯⋯⋯⋯⋯⋯⋯⋯⋯ 되었다.

• 그는 50점짜리 성적표를 부모님께 드리기가 창피해서 ⋯⋯⋯⋯⋯⋯⋯⋯⋯ .

---

3. 여러분이 한 경험과 그때 느낀 감정을 배운 표현을 활용해서 이야기해 보십시오.

봄에 화분에 토마토를 심었어요. 여름에 빨갛게 익은 토마토를 보면서 보람을 느꼈어요. 직접 기른 토마토로 파스타를 만들어서 동생과 함께 먹었어요.

1. 다음 대화를 잘 듣고 질문에 답하십시오.

1) 두 사람은 지금 무엇을 하고 있습니까?

2) 남자는 지난번에 공원에서 어떤 경험을 했습니까?

① 자전거 금지 공원에서 자전거를 탔다.

② 아이들과 함께 잔디밭에서 공놀이를 했다.

③ 자전거 출입 금지 안내판에 부딪힐 뻔했다.

④ 벤치에 앉아서 쉬면서 산책하는 사람들을 구경했다.

2. 여러분의 인생에서 가장 기억에 남는 일을 이야기해 보십시오.

1) 여러분의 인생에서 가장 기억에 남는 일은 무엇입니까?

2) 그 일은 언제 일어났습니까? 구체적으로 무슨 일이 있었습니까?

3) 그때 느낀 감정은 무엇입니까?

4) 기억에 남는 일을 표현해 보십시오.

저는 고등학교 때 연극 동아리를 했어요. 고등학교 3학년 때 동아리에서 연극 공연을 준비했는데 제가 주인공이 되었어요. 오디션을 봐서 주인공을 결정했는데 오디션 때 저는 너무 떨렸어요.

1. 다음 글을 읽고 질문에 답하십시오.

번호	제목	글쓴이	등록일	조회 수
11372	당황스러운 만남	박서준	22-09-18	

사연과 신청곡 제목 ▼ 검색어 입력 🔍 ✏️ 글쓰기

길을 걷는데 어떤 남자가 반가운 표정을 지으면서 저에게 다가와서 말했어요.

"야, 정말 오랜만이다!"

저는 기억이 잘 나지는 않았지만 얼굴이 익숙해서 일단 대답을 했습니다. 혹시 초등학교나 중학교 때 같은 반 친구일 수도 있으니까요.

"어, 그래. 오랜만이다."

그러니까 그 사람이 더 반가운 표정으로 말했어요.

"그동안 잘 지냈어? 여긴 웬일이야?"

"어어, 나 얼마 전에 사업 시작했는데 사무실이 이 근처야."

"그래? 우리 회사도 여기서 가까운데 잘 됐다. 아무 때나 연락해. 같이 밥 한번 먹자."

그런데 아무리 생각해도 모르겠더라고요. 그래서 조심스럽게 물어봤죠.

"저, 내가 기억이 안 나서 그러는데, 이름이 뭐더라?"

"나? 김민재."

"아…. 김민재…. 저기 광주 한정중학교 나온…?"

"아니. 나 부산 금민중학교 나왔는데…?"

알고 보니 우리는 친구가 아니라 전혀 모르는 사이였어요. 그 사람이 저를 옛날 같은 학교 친구로 착각한 거였죠.

모르는 사람과 이렇게 반갑게 인사를 나눴다고 생각하니까 좀 당황스럽기도 하고 웃기기도 했어요.

조금만 더 얘기를 나눴으면 그 사람과 진짜 친구가 될 뻔했습니다. ㅎㅎ 저의 신청곡은 〈누구세요?〉입니다.

1) 김민재 씨와 이야기를 나눈 후 '나'는 기분이 어땠습니까?

2) 이 글의 내용과 같은 것을 고르십시오.
① '나'와 김민재 씨는 처음 만난 사이이다.
② '나'는 김민재 씨의 이름을 기억하고 있었다.
③ '나'와 김민재 씨는 얼마 전에 같이 밥을 먹었다.
④ '나'는 얼마 전에 김민재 씨와 사업을 시작했다.

2. 여러분도 재미있는 경험을 해 본 적이 있습니까? 여러분의 경험담을 써서 라디오 게시판에 올려 보십시오.

번호	제목	글쓴이	등록일	조회 수

배꼽 잡는 웃긴 사연

모르는 아저씨에게 부끄러운 자랑을…

이〇〇(21세, 여, 서울시 성북구)

친한 친구랑 영화관에 갔어요. 영화를 보고 있는데 갑자기 배가 아팠어요. 그래서 화장실에 갔다 왔어요. 영화관 안은 너무 어두워서 자리를 찾다가 넘어질 뻔했어요. 겨우 자리에 앉아서 친구 귀에다 대고 속삭였어요.

"화장실 갔다 오니까 너무 시원해. 이제 영화에 집중할 수 있을 것 같아."

그런데 갑자기 낯선 목소리가 들려왔어요. 얼굴을 보니 내 친구가 아니고 모르는 아저씨였어요. 아저씨는 나를 보면서 이렇게 말씀하셨습니다.

"축하해요."

순간 너무 창피해서 죽을 뻔했어요.

안녕하십니까? 고객님.

박〇〇(26세, 남, 서울시 종로구)

저는 얼마 전에 한 회사의 전화 상담원으로 취직했습니다. 전화로 고객들의 이야기를 듣는 중요한 직업이지요. 첫 출근 날, 저는 하루 종일 인사말을 연습했습니다. "안녕하십니까? 고객님.", "안녕하십니까? 고객님.", "안녕하십니까? 고객님." 수십 번 반복해서 연습했습니다.

집으로 가는 길. 하루 종일 연습한 "안녕하십니까? 고객님." 이라는 소리가 머릿속을 떠나지 않았습니다. 그러던 중 여자 친구에게 전화가 왔습니다. 그래서 전화를 받았는데 여자 친구가 갑자기 막 웃더라고요. 알고 보니, 제가 여자 친구에게도 "안녕하십니까? 고객님."이라고 인사를 하고 말았던 것입니다.

-는/(으)ㄴ/(으)ㄹ 듯이 뒤에 나오는 상황이 앞의 상황과 매우 비슷하거나 같은 정도임을 비유적으로 표현할 때 쓴다.

---

1. 다음에서 알맞은 말을 골라 '-는/(으)ㄴ/(으)ㄹ 듯이'를 사용해서 문장을 만들어서 말해 보십시오.

알다	굶다	내리다	만나다	못 보다	넘어지다

> 수지는 부산을 아주 잘 아는 듯이 말했어요.

1) 제가 인사를 했지만 선생님은 .... 그냥 지나갔어요.

2) 안나는 며칠을 .... 밥을 급하게 먹었어요.

3) 마리는 다시는 나를 안 .... 화를 내면서 가 버렸어요.

4) 술 취한 사람이 .... 비틀비틀 걸어갔어요.

5) 하늘은 비가 .... 잔뜩 흐려져 있었어요.

---

2. '-는/(으)ㄴ/(으)ㄹ 듯이'를 사용해서 문장을 바꿔 보십시오.

> 푹 자다, 씻다, 감기가 낫다 → 푹 자서 씻은 듯이 감기가 나았다.

1) 문제가 다 해결되다, 속이 시원하다, 크게 웃다

→ ....

2) 걱정이 되다, 땅이 꺼지다, 한숨을 쉬다

→ ....

3) 오후가 되다, 비가 오다, 갑자기 하늘이 어두워지다

→ ....

4) 장학생이 되었다는 말을 듣다, 하늘을 날다, 기분이 좋다

→ ....

5) 침대에 눕다, 기절하다, 금방 잠들다

→ ....

---

3. '-는/(으)ㄴ/(으)ㄹ 듯이'를 사용해서 비유 표현을 만들어 이야기해 보십시오.

> 동생은 넘어지자마자 아무렇지 않은 듯이 일어났어요.

1) 일어나다   2) 조용하다   3) 가볍다   4) 병이 낫다

피동(-이-, -히-, -리-, -기-) 다른 주체에 의해 그 행동이 일어났음을 나타낼 때 쓴다.

1. 다음 동사들을 피동(-이-, -히-, -리-, -기-)으로 바꿔서 써 보십시오.

보다	듣다	먹다	쓰다	안다	막다
감다	닫다	놓다	밟다	열다	끊다

-이-	-히-	-리-	-기-
보이다	먹히다		

2. 피동(-이-, -히-, -리-, -기-)을 사용해서 문장을 완성해 보십시오.

> 남산에서 내려다보면 서울 시내가 한눈에 보여요. (보다)

1) 하루 종일 내린 눈이 지붕 위에 하얗게 .... (쌓다)

2) 책상 위에 .... 있는 장미꽃은 누구 거예요? (놓다)

3) 뒷자리에 앉으니까 선생님 목소리가 잘 안 .... (듣다)

4) 옷장 안에는 겨울옷들이 잔뜩 .... 있었어. (걸다)

5) 문이 .... 있어서 사람들이 들어가지 못하고 밖에 서 있었어요. (잠그다)

3. 피동(-이-, -히-, -리-, -기-)을 사용해서 문장을 바꿔 보십시오.

많은 사람들이 그 책을 읽었다.
→ 그 책은 많은 사람들에게 읽혔다.

1) 모기가 아기를 물었다. → 아기가 ....

2) 안나를 반장으로 뽑았다. → 안나가 ....

3) 여행 계획을 바꿨다. → 여행 계획이 ....

4) 물고기를 많이 잡았다. → 물고기가 ....

1. 다음에서 알맞은 말을 골라 사진 속 풍경을 다음과 같이 말해 보십시오.

| 산으로 둘러싸여 있다 | 푸른 들이 펼쳐져 있다 | 좁은 골목이 이어져 있다 | 고층 빌딩이 늘어서 있다 |

 좁은 골목이 길게 이어져 있고 그 옆에는 집들이 늘어서 있어요.

1)

2)

3)

2. 다음에서 알맞은 말을 골라 문장을 완성해서 말해 보십시오.

| 둘러싸이다 | 늘어서다 | 이어지다 | 펼쳐지다 | 붐비다 |

1) 책상 위에 책이 _____ 있다.

2) 연말이라서 그런지 거리가 사람들로 _____ .

3) 여러 섬들이 다리로 _____ 있다.

4) 입구에는 입장권을 사는 사람들이 길게 _____ 있었다.

5) 이 도시는 바다로 _____ 있어서 해산물이 풍부하다.

3. 여러분이 어렸을 때 산 곳을 배운 표현을 활용해서 이야기해 보십시오.

 제가 어렸을 때 산 곳은 산으로 둘러싸여 있어서 공기가 맑고 깨끗했어요. 산에 올라가면 마을이 한눈에 보였어요.

1. 다음 대화를 잘 듣고 질문에 답하십시오.

1) 10년 전 이곳의 모습은 어땠습니까?

①    ②    ③

2) 지금 이곳은 어떻게 변했습니까?

①    ②    ③

2. 다음 그림에 있는 풍경을 묘사해 보십시오.

> 푸른 들이 펼쳐져 있어요. 그리고 꽃들이 소금을 뿌린 듯이 하얗게 피어 있어요.
> 그 옆으로 푸른 강물이 흐르고 있어요. 정말 그림같이 아름다워요.

1)    2)    3)

1. 다음 글을 읽고 질문에 답하십시오.

　　10년 전에 나는 중학생이었다. 나는 매일 지하철을 타고 학교에 다녔다. 요즘에는 지하철을 탈 때 대부분 교통 카드를 사용한다. 그런데 예전에는 종이로 만든 지하철표를 사용했다. 표는 노란색이나 흰색이었고 지우개처럼 길쭉한 사각형 모양이었다. 표를 사면 탈 때와 내릴 때 두 번 사용한다. 표를 잃어버리면 내릴 수가 없다. 그래서 항상 표를 소중한 물건인 듯이 꼭 쥐고 다녔다.

　　학교에 갈 때는 지하철역이 항상 출근하는 사람들로 붐볐다. 곳곳에 광고지를 나눠 주는 사람들이 있었는데 그걸 받는 사람은 별로 없었다. 모두 바쁜 일이 있는 듯이 그 앞을 빠르게 지나갔다. 그러나 학교가 끝나고 집으로 돌아올 때는 지하철 안에 사람이 많지 않았다. 대신 큰 가방을 들고 다니면서 물건을 파는 사람들이 있었다. 양말, 우산, 칫솔, 장갑 등 온갖 물건들이 있었는데 잘 팔리지는 않았다. 나는 그 사람들과 눈을 마주치지 않으려고 지하철 벽에 붙어 있는 광고를 읽거나 자는 척했다.

　1) 지하철표는 어떻게 생겼습니까?

　2) 집으로 돌아올 때 지하철에는 어떤 사람들이 있었습니까?

2. 10년 전 오늘, 이 시간에 여러분은 어디에서 무엇을 하고 있었습니까? 그때 그곳이 어땠는지 묘사해 보십시오.

추억의 놀이

| **사방치기(땅따먹기)** | 바닥에 놀이판을 그려 놓고 돌을 던진 후에 그림의 첫 칸부터 마지막 칸까지 다녀오는 놀이 |

하늘

7	8
6	
4	5
3	
1	2

※ 돌이 금에 닿거나 다른 칸에 들어갔을 때에는 상대방에게 기회가 넘어간다. 금을 밟았을 때에도 상대방에게 기회가 넘어간다.
※ 자기 땅은 두 발로 밟아도 되고 남의 땅은 뛰어서 넘어야 한다.

[놀이 방법]

① 1번 칸에 돌을 던져 놓는다.

② 2번부터 차례로 밟으면서 앞으로 간다. 이때 2번, 3번, 6번은 한 발로, 4·5번, 7·8번은 두 발로 동시에 밟는다.

③ 7·8번에서 뒤로 돌아 같은 방법으로 돌아온다.

④ 2번에서 한 발로 멈춰서 1번에 던져 놓았던 돌을 집은 후에 1번을 밟고 밖으로 나온다.

⑤ 2번 칸에 돌을 던져 놓고 같은 방법으로 7·8번까지 갔다 오는 놀이를 한다. 8번 칸까지 같은 방법을 반복한다.

⑥ 8번 칸까지 성공하면 '하늘'에 서서 뒤로 돌을 던진다. 돌이 번호가 쓰여져 있는 칸에 들어가면 그 칸이 자기 땅이 된다. 이때 돌이 선에 닿으면 무효가 된다. 자기 땅에 표시를 하고 처음부터 놀이를 반복한다.

| **무궁화 꽃이 피었습니다** | 술래가 안 보는 사이에 조금씩 술래 가까이 다가가서 술래를 손바닥으로 치고 도망가는 놀이 |

[놀이 방법]

① 가위바위보로 술래를 정한다.

② 술래는 벽 앞에 서고, 나머지 사람들은 술래 뒤쪽 멀리에 그려져 있는 출발선에 선다.

③ 술래는 벽을 보고 서서 '무궁화 꽃이 피었습니다'라고 외친다. 나머지 사람들은 술래가 보지 않을 때 조금씩 술래에게 다가간다.

④ '무궁화 꽃이 피었습니다'를 다 외친 술래는 뒤를 돌아본다. 이때 움직이는 사람은 술래가 된다. 움직이는 사람이 없으면 같은 방법으로 놀이를 계속한다.

⑤ 술래에게 가장 가까이 간 사람이 술래를 손으로 치면 술래는 사람들을 잡을 수 있다. 술래에게 잡히지 않으려면 술래로부터 멀리 도망가야 한다.

⑥ 출발선에 도착하기 전에 술래에게 잡힌 사람은 다음 술래가 된다. 만약 아무도 잡지 못하면 같은 사람이 술래를 계속 한다.

| **달고나** | 설탕을 녹인 후에 소다를 넣어서 만든 과자 |

[만드는 방법]

① 설탕을 국자에 넣는다.

② 국자를 불 위에 올리고 젓가락으로 저으면서 설탕을 녹인다.

③ 설탕이 녹으면 소다를 조금 넣는다.

④ 녹은 설탕이 부풀어 오르면 넓은 그릇에 붓는다.

⑤ 부풀어 오른 설탕을 눌러서 납작하고 둥글게 과자를 만든다.

⑥ 과자가 딱딱하게 굳기 전에 과자 위에 여러 가지 모양을 찍는다.

※ 과자에 새겨진 모양을 망가지지 않게 잘 뜯어내는 놀이를 할 수 있다.

-지 않아요? 자신의 의견을 강조하면서 상대방도 이에 동의하는지를 확인할 때 쓴다.

1. '-지 않아요?'를 사용해서 문장을 만들어서 말해 보십시오.

> 1) 이 떡볶이 • ——————————————— • 먹을 만하다
> 2) 한국어 • • 살기 편하다
> 3) 저 사람 • • 공부하기 힘들다
> 4) 이 동네 • • 너무 예의 없다
> 5) 이 노래 • • 멜로디가 정말 중독적이다

 이 떡볶이 먹을 만하지 않아요?

2. '-지 않아요?'를 사용해서 대화를 완성해 보십시오.

 이 사진 정말 예쁘게 잘 나오지 않았어요? 그러네요. 예쁘게 잘 나왔어요.

1) 가: 요즘 _____?

　　나: 네. 요즘 많이 바빠요.

2) 가: 그 식당은 _____?

　　나: 네. 그 식당은 너무 먼 것 같아요.

3) 가: 여기 _____?

　　나: 그러네요. 듣고 보니까 좀 어둡네요.

4) 가: 우리 고등학교 때 _____?

　　나: 맞아요. 그때가 정말 행복했죠.

3. '-지 않아요?'를 사용해서 이야기해 보십시오.

 안나 씨는 한국어를 정말 잘하지 않아요? 발음도 정말 좋은 것 같아요.

1) 친구　　　　　　　　　　　2) 식당 / 카페 / 가게　　　　　　　　　3) 요즘 날씨

얼마나 -는다고요 / ㄴ다고요 / 다고요   어떠한 내용을 강조하여 말할 때 쓴다.

1. 다음에서 알맞은 말을 골라 '얼마나 -는다고요 / ㄴ다고요 / 다고요'를 사용해서 문장을 만들어서 말해 보십시오.

춥다	좋다	바쁘다	어렵다	좋아하다

이번 시험 어렵지 않았어?

응. 얼마나 어려웠다고. 모르는 문법이 많아서 풀기 힘들었어.

1) 가: 안나는 한국 드라마에 관심이 없는 것 같아.

　　나: 아니야. 안나가 한국 드라마를 ＿＿＿＿＿＿＿＿＿. 모르는 게 없을 정도야.

2) 가: 밖에 날씨 따뜻해요?

　　나: 아니요. 밖에 날씨가 ＿＿＿＿＿＿＿＿＿. 어제보다 기온이 더 떨어졌어요.

3) 가: 오늘은 좀 한가하지 않았어?

　　나: 아니. ＿＿＿＿＿＿＿＿＿. 잠깐 앉을 틈도 없었어.

4) 가: 제주도 여행 어땠어요? 그냥 그랬지요?

　　나: ＿＿＿＿＿＿＿＿＿. 한국의 아름다운 자연 경관을 느낄 수 있는 곳이었어요.

2. '얼마나 -는다고요 / ㄴ다고요 / 다고요'를 사용해서 대화를 완성해 보십시오.

한국어를 잘 못하는 것 같아요.　　아니에요. 얼마나 잘한다고요.

1) 가: 이 근처에 먹을 만한 식당이 없네.

　　나: 먹을 만한 데가 없기는. ＿＿＿＿＿＿＿＿＿.

2) 가: 저 가수는 춤을 정말 잘 추는 것 같아요.

　　나: 춤만 잘 추는 게 아니에요. ＿＿＿＿＿＿＿＿＿.

3) 가: 저는 캠핑의 재미를 잘 모르겠어요.

　　나: ＿＿＿＿＿＿＿＿＿. 다음에 저하고 같이 한번 가요.

4) 가: 나 하나 노력하는 게 환경 보호에 도움이 되기는 할까?

　　나: ＿＿＿＿＿＿＿＿＿. 작은 노력이 모여서 큰 결실을 이루는 거야.

3. 다음에 대해 '얼마나 -는다고요 / ㄴ다고요 / 다고요'를 사용해서 이야기해 보십시오.

저는 밝은색 옷이 잘 안 어울리는 것 같아요.　　그렇지 않아요. 밝은색도 얼마나 잘 어울린다고요.

1) 옷　　　　　　2) 음식　　　　　　3) 여행　　　　　　4) 연예인

1. 다음에서 알맞은 말을 골라 문장을 완성해서 말해 보십시오.

유익하다	상식을 쌓다	교훈을 주다	사회를 반영하다

1) 이 강연 프로그램에 나오는 사람들은 자신의 인생을 이야기하면서 사람들에게 ....

2) 이 교양 프로그램은 경제생활에 도움이 되는 .... 방송이에요.

3) 이 드라마는 현대 한국 .... 있다.

4) 이 퀴즈 쇼에는 다양한 분야의 기초 지식이 문제로 나와서 보는 것만으로도 많은 .... 있어요.

---

2. 다음의 방송은 어떨까요? 배운 어휘를 사용해서 말해 보십시오.

이 드라마는 좀 식상할 것 같아요.

1)

2)
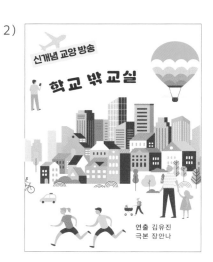

3)

---

3. 다음과 같은 방송에 대해 이야기해 보십시오.

얼마 전에 〈그림 사전〉이라는 프로그램을 봤는데 매주 새로운 미술 작품을 소개하고 감상을 이야기해 보는 신선한 교양 방송이었어요.

1) 신선한 방송   2) 가장 큰 위로를 준 방송   3) 가장 영향력이 큰 방송   4) 즐거운 방송

---

1. 다음 방송을 잘 듣고 질문에 답하십시오.

1) 〈지금 뭐 해〉는 어떤 방송입니까?

2) 들은 내용과 <u>다른</u> 것을 고르십시오.

① 이 방송은 토요일 저녁에 한다.

② 이 방송에는 스타들의 집이 나온다.

③ 이 방송은 첫 방송이 화제가 되었다.

④ 이 방송에는 유명한 가수와 배우가 나온다.

2. 다음을 읽고 질문에 답하십시오.

시간을 넘어서

교양 | 15세 이상

기본 정보

방송 시간: 매주 금요일 밤 10:00

제작진: 정윤아(연출), 이유리(작가)

출연진: 한민우(역사 전문가), 유서준(MC), 제이(가수), 하나(배우)

소개

　"역사 공부가 얼마나 재미있다고요!" 식상한 역사 다큐멘터리에 지친 시청자를 위한 신선한 역사 여행 프로그램 〈시간을 넘어서〉. 역사 전문가와 함께 세계 곳곳을 여행하면서 그곳에 숨겨진 역사를 알아보고 그 역사가 우리에게 주는 교훈을 생각해 본다.

1) 〈시간을 넘어서〉는 어떤 프로그램입니까?

2) 여러분은 이 프로그램을 보고 싶습니까, 보고 싶지 않습니까? 그 이유는 무엇입니까?

1. 여러분은 어떤 방송 프로그램을 만들고 싶습니까? 여러분이 기획자가 되어 방송 프로그램을 만들어 보십시오.

프로그램 제목 _____

장르:

기본 정보
방송 시간:
제작진:
출연진:

소개

2. 친구들에게 여러분이 만든 방송을 소개해 보십시오.

1) 위에 쓴 내용을 발표해 보십시오.

2) 친구들의 발표를 모두 들은 후에 가장 보고 싶은 방송을 하나 선택하고 그 이유를 써 보십시오.

가장 보고 싶은 방송	이유

한국 사람들이 좋아하는 예능 프로그램

한국에서는 예능 프로그램이 시청자들의 많은 사랑을 받는다. 한국에서 오랜 시간 사랑 받는 예능 프로그램을 소개해 보면 다음과 같다.

▶ 관찰 예능 프로그램

'관찰 예능 프로그램'은 스타들의 일상적인 모습을 보여 주는 예능 프로그램이다. 방송을 통해 스타들이 쉬는 날에는 무엇을 하면서 시간을 보내는지, 친한 사람들과 함께 있을 때는 어떤 모습인지 관찰할 수 있다. 시청자들은 스타들의 자연스러운 모습을 보면서 신선한 즐거움을 느낀다.

▶ 경연 프로그램

한국에는 노래, 랩, 춤 등 다양한 분야의 '경연 프로그램'이 존재한다. 자신의 실력을 보여 주고 싶은 사람들이 참가해 서로 경쟁하는 프로그램이다.

자극적인 방송이라는 비판을 받기도 하지만 한국에서는 매년 경연 프로그램을 통해 새로운 스타가 탄생하고 있다.

▶ 음식 관련 프로그램

'먹방(먹는 방송)', '쿡방(요리하는 방송)'이라는 말이 따로 있을 정도로 음식과 관련한 예능 프로그램이 시청자들에게 오랫동안 큰 사랑을 받고 있다.

특히 최근에는 스타들이 직접 요리를 배워서 식당을 운영해 보거나 직접 메뉴를 만들어 보는 방송이 인기이다.

-더니 과거에 관찰한 사실과 그 뒤에 이어진 행동 또는 상황을 연결하여 말할 때 사용한다.

1. 다음에서 알맞은 말을 골라 '-더니'를 사용해서 대화를 완성해 보십시오.

| 결혼하다 | 전화를 받다 | 도서관에 가다 | 시험지를 보다 | 수업 시간에 졸다 |

안나, 수지는 어디 갔어? ⟩ 　 ⟨ 아까 책 빌린다고 도서관에 가더니 계속 안 오네.

1) 가: 민수는 요즘 정말 행복해 보여.

　　나: 그렇지? _____ 얼굴이 더 밝아졌어.

2) 가: 유진은 시험 잘 봤대?

　　나: 잘 못 본 것 같아. 아까 _____ 한숨을 푹 쉬더라고.

3) 가: 주노 씨가 안 보이네요.

　　나: 네. 집에서 온 _____ 짐을 챙겨서 나갔어요.

4) 가: 안나는 오늘 숙제가 있는 걸 몰랐대.

　　나: 어제 _____ 못 들었나 보다.

---

2. 그림을 보고 '-더니'를 사용해서 문장을 만들어 보십시오.

안나가 유진을 보더니 크게 웃었어요.

1) 안나가 _____ .

2) 안나가 _____ .

3)  안나가 _____ .

---

3. '-더니'를 사용해서 한 명씩 이야기를 연결해 보십시오.

 민호가 갑자기 시간을 묻더니 밖으로 나갔어요. 　 밖으로 나가서 큰길로 가더니 택시를 탔어요.

-는/(으)ㄴ 것이다 앞에 나오는 내용에 대해서 주의를 끌면서 효과적으로 표현하고자 할 때 쓴다.

1. 다음에서 알맞은 말을 골라 '-는/(으)ㄴ 것이다'를 사용해서 대화를 완성해 보십시오.

화를 내다	소리를 지르다	양이 너무 많다	이상한 소리가 들리다
할인 행사를 하다		사진에서 본 것하고 너무 다르다	

왜 그래요? 무슨 일 있었어요?　　아니, 어떤 사람이 갑자기 창문을 열더니 소리를 지르는 거예요.

1) 가: 주노 씨하고 싸웠어요?

　　나: 싸운 건 아닌데 주노 씨가 제 이야기를 듣더니 ....

2) 가: 뭘 그렇게 많이 샀어요?

　　나: 약속이 있어서 쇼핑몰에 갔는데 ....

3) 가: 왜 음식을 다 남겼어요?

　　나: 배고파서 큰 걸로 주문했는데 먹다 보니까 ....

4) 가: 어제 자는데 밤늦게 옆집에서 ....

　　나: 어머! 그래서 어떻게 했어요?

5) 가: 여행 잘 다녀왔어? 어땠어?

　　나: 완전 별로였어. 직접 가 보니까 ....

2. '-는/(으)ㄴ 것이다'를 사용해서 문장을 만들어 보십시오.

버스에서 내렸다, 비가 쏟아지다 → 버스에서 내렸는데 비가 쏟아지는 거예요.

1) 인터넷에서 산 옷이 왔다, 사이즈가 너무 작다 → ....

2) 주말에 등산을 갔다, 올라가다가 다리를 다쳤다 → ....

3) 잠깐 화장실에 다녀왔다, 공연이 시작해 버렸다 → ....

4) 오랜만에 친구들을 만났다, 다들 너무 멋있어졌다 → ....

3. 최근에 여러분에게 생긴 일을 '-는/(으)ㄴ 것이다'를 사용해서 이야기해 보십시오.

며칠 전에 친구하고 만나기로 한 날 아무리 기다려도 친구가 안 오는 거예요. 메시지도 안 보고 전화도 안 받고. 알고 보니까 친구가 버스에 휴대폰을 놓고 내린 거였어요.

1. 다음에서 알맞은 말을 골라 그림을 표현해 보십시오.

| 범인을 쫓다 | 범인이 도망치다 | 감쪽같이 사라지다 | 첫사랑과 재회하다 |

1)

2)

3)

4)

2. 다음에서 어울리는 표현을 골라 문장을 만들어서 말해 보십시오.

반전이 있다	소름이 돋다
갈등을 겪다	가슴이 답답하다
첫눈에 반하다	가슴이 조마조마하다
우연히 마주치다	심장이 두근두근 뛰다

 반전이 있는 영화를 보면 소름이 돋아요.

3. 여러분은 다음과 같은 경험을 한 적이 있습니까? 맞는 것에 표시하고 이야기해 보십시오.

 저는 고등학교 때 같은 학교 친구를 보고 첫눈에 반한 적이 있어요.
그 친구를 보자마자 심장이 두근두근 뛰었어요.

1) 나는 첫눈에 반한 적이 있다. (네) 아니요
2) 나는 만나기 싫은 사람과 우연히 마주친 적이 있다. 네 아니요
3) 나는 가까운 사람과 최근에 갈등을 겪은 적이 있다. 네 아니요
4) 나는 텔레비전에서 보던 사람을 실제로 본 적이 있다. 네 아니요

1. 다음 방송을 잘 듣고 질문에 답하십시오.

1) 이 책의 내용을 어떻게 요약할 수 있습니까? 잘 듣고 빈칸에 알맞은 말을 쓰십시오.

> 평범한 학생 '민수'가 .... 여행을 떠나는 이야기

2) 들은 내용과 같은 것은 무엇입니까?
① 민수는 대학교 신입생이다.
② 민수는 하고 싶은 일이 많다.
③ 민수의 친구들은 꿈 때문에 힘들어한다.
④ 민수는 친구들을 만나고 나서 고민이 생겼다.

2. 다음 글을 읽고 질문에 답하십시오.

영화 추천
정말 신선한 영화 〈거기 서!〉

주말에 영화 〈거기 서!〉를 보고 왔습니다. 사실 저는 코미디 영화를 별로 안 좋아해서 볼 생각이 전혀 없었는데 친구가 좋아하는 배우가 나와서 같이 보게 됐습니다. 큰 기대 없이 앉아 있었는데 이게 무슨 일?! 영화가 너무 재미있는 거예요. 😂 제 인생 최고의 코미디 영화를 만났습니다!!

영화는 밤늦게까지 놀고 있는 주인공 지훈과 친구들의 모습으로 시작하는데요. 지훈과 친구들은 집으로 돌아가다가 한 남자가 불 꺼진 가게에 몰래 들어가더니 돈을 가지고 도망치는 모습을 보게 됩니다. 그리고 경찰에 바로 신고를 했지만 경찰이 오는 동안 그 사람이 사라질까 봐 걱정이 된 지훈과 친구들은 그를 쫓아가 보기로 하는데요. 그때부터 시작되는 쫓고 쫓기는 추격전!! 다른 영화에서는 보지 못한 신선하고 유쾌한 추격전이 그려집니다.

긴장감도 놓치지 않으면서 큰 즐거움을 주는 영화 〈거기 서!〉. 보고 나면 스트레스가 확 풀리실 겁니다. 😊

1) 이 영화는 어떤 영화입니까? 써 보십시오.

장르	줄거리

2) 윗글의 내용과 같은 것을 고르십시오.
① 이 사람은 개봉 전부터 이 영화를 보고 싶어 했다.
② 이 사람은 좋아하는 배우를 보기 위해 영화를 봤다.
③ 이 사람은 기대한 것보다 더 재미있게 영화를 봤다.
④ 이 사람은 영화 후반에 긴장감이 떨어지는 것이 아쉬웠다.

1. 여러분이 가장 좋아하는 영화나 드라마의 줄거리를 설명하는 글을 써 보십시오.

제목: ....

2. 쓴 내용을 발표해 보십시오.

1) 다음과 같이 실감 나게 줄거리를 설명해 보십시오.

제가 제일 좋아하는 영화는 〈내가 그린 그림〉이라는 영화입니다. 어느 날, 주인공은 우연히 들어가게 된 미술관에서 한 그림을 보고 이상한 느낌을 받습니다. 집에 와서도 계속 그 그림을 생각하다가 잠이 드는데요. 다음날 아침 눈을 떠 보니 주인공이 바로 그 그림 속 세상에 들어와 있는 겁니다.

2) 친구의 발표를 들으면서 보고 싶은 영화나 드라마의 제목과 줄거리를 메모해 보십시오.

제목	줄거리

기생충
영화 | PARASITE | 2019

전체 | **기본 정보** | **감독/출연** | **평점** | **무비 클립** | **포토** | **리뷰** | **명대사** | **추천 영화**

개봉: 2019.05.30.

등급: 15세 관람가

장르: 드라마

국가: 한국

러닝 타임: 131분

▶ 바로 보기　　　　　　　　　　　♡ 36,316

정보 오류 수정 요청

줄거리
　가족 모두 직장이 없는 백수지만 사이는 좋은 '기택' 가족. 어느 날, 아들 '기우'에게 명문대생 친구가 찾아와 돈을 많이 주는 과외 수업 일자리를 소개한다. 오랜만에 돈을 벌 수 있는 기회가 생긴 '기택' 가족은 희망에 들뜬다. 가족들의 응원을 받으면서 과외 수업을 할 '박 사장'의 집으로 향하는 '기우'. 글로벌 IT 기업 CEO인 '박 사장'의 저택에 도착하자 젊고 아름다운 사모님 '연교'가 등장해 반갑게 맞이한다. '기우'의 첫 수업을 보더니 만족하는 '연교'. 그렇게 '박 사장' 딸의 과외 수업을 맡게 된 '기우'는 '연교'의 믿음을 얻고 나머지 가족들도 하나둘 '박 사장'의 집으로 불러들인다. 그렇게 결국은 온 가족이 '박 사장'의 집에서 일을 하기 시작하는데….

수상 내역
2021　44회 일본 아카데미상(우수 외국 작품상)

　　　40회 황금촬영상 시상식(최우수 작품상, 촬영상-금상, 연기 대상, 영화 발전 공로상)

2020　14회 아시안 필름 어워드(최우수작품상, 최우수 각본상, 최우수 제작 디자인상, 최우수 편집상)

　　　25회 춘사영화상(백학상)

　　　　　　　　　　　　　　⋮

　　　56회 백상예술대상(영화 대상, 영화 작품상, 영화 남자 신인 연기상)

(으)로서 어떤 대상이 앞에 나오는 지위나 신분, 자격, 속성을 가지고 있음을 나타낸다.

---

1. '(으)로서'를 사용해서 문장을 만들어서 말해 보십시오.

1) 학생들의 실력이 향상되는 것을 보다 •———————• 교사, 보람을 느끼다

2) 이번에 쓴 소설이 인기를 얻다   •   • 경찰, 당연히 해야 할 일이다

3) 회사 상황이 어려워지다   •   • 사장, 책임감을 느끼다

4) 범인을 잡다   •   • 작가, 이름을 알리다

5) 새로운 기술을 개발하다   •   • 과학자, 인정을 받다

 학생들의 실력이 향상되는 것을 보면 교사로서 보람을 느껴요.

---

2. '(으)로서'를 사용해서 문장을 완성해 보십시오.

 나, 대학생 때, 학생 기자, 독일에 가다 → 나는 대학생 때 학생 기자로서 독일에 갔었다.

1) 진돗개, 한국을 대표하는 개, 매우 똑똑하고 용감하다

   → _____.

2) 나, 대학교 홍보 모델, 학교 광고에 출연하다

   → _____.

3) 제주도, 한국의 유명한 관광지, 외국인들에게도 큰 인기를 얻다

   → _____.

4) 그녀, 이번에 찍은 영화가 성공하다, 영화배우, 유명해지다

   → _____.

5) 그, 기자, 사람들에게 진실을 알리기 위해 노력하다

   → _____.

---

3. '(으)로서'를 사용해서 여러분 자신에 대해 이야기해 보십시오.

 저는 축구를 좋아하는 팬으로서 축구 경기를 자주 보러 가요. 그리고 한국어를 배우는 학생으로서 한국 문화에도 관심을 많이 가지고 있어요.

에 대해서 　앞에 나오는 것이 말이나 생각의 대상임을 나타낸다. '에 대해'라고도 할 수 있다.

1. '에 대해서'를 사용해서 대화를 완성해 보십시오.

> 무엇에 대해서 발표할 거예요?　　저는 지방 사투리에 대해서 발표하려고 해요. (지방 사투리)

1) 가: 무슨 생각을 그렇게 열심히 하고 있어요?

　　나: _____. (졸업 후의 진로)

2) 가: 오늘은 어떤 주제에 대해서 토론해요?

　　나: _____. (환경 문제)

3) 가: 면접관들이 처음에 뭘 물어봤어요?

　　나: _____. (회사에 지원한 동기)

4) 가: 무엇에 대해서 논문을 쓰고 있어요?

　　나: _____. (화장품의 역사)

5) 가: 대학원에 가면 무엇에 대해 공부할 계획이에요?

　　나: _____. (국제관계학)

2. '에 대해서'를 사용해서 문장을 완성해 보십시오.

> 오늘 수업 시간, 세대 차이, 토론을 하다
> → 오늘 수업 시간에는 세대 차이에 대해서 토론을 한다.

1) 어머니, 연예인, 전혀 관심이 없다

　　→ _____.

2) 그 사람, 이 문제, 책임이 없다

　　→ _____.

3) 선생님, 장래 희망, 나에게 묻다

　　→ _____.

4) 언니, 나에게 실수한 일, 한 번도 사과하지 않다

　　→ _____.

5) 많은 사람들, 지구의 미래, 걱정하고 있다

　　→ _____.

3. '에 대해서'를 사용해서 문장을 완성해 보십시오.

1) 나는 _____ 관심이 많다.　　2) 나는 _____ 관심이 없다.

3) 오늘 _____ 수업을 들었다.　　4) 선생님께서 _____ 설명하셨다.

5) 나는 지금 _____ 생각하고 있다.

1. 다음에서 알맞은 말을 골라 사진에 대해 말해 보십시오.

| 정치/경제/사회/문화의 중심지 역할을 하다 | 교통의 요충지이다 | 공장이 모여 있다 |

| 사람들이 주로 농사를 짓다 | 아름다운 자연을 자랑하다 |

이곳은 경제의 중심지 역할을 하는 곳이에요.

1)

2)

3)

4)
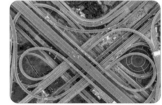

2. 다음에서 알맞은 말을 골라 문장을 완성해서 말해 보십시오.

| 요충지 | 집중되다 | 풍부하다 | 쾌적하다 | 자랑하다 |

1) 이곳은 남쪽 지방으로 갈 때 꼭 지나가야 하는 교통의 _____ 이다.

2) 아이는 삼촌이 유명한 가수라고 친구들에게 _____ 다녔다.

3) 환기를 자주 해서 방 안 공기가 깨끗하고 _____ .

4) 달걀에는 영양이 _____ 들어 있다.

5) 요즘 대학생들의 관심은 취업 문제에 _____ 있다.

3. 자기가 알고 있는 지역에 대해 배운 표현을 활용해서 이야기해 보십시오.

그 지역은 차가 많이 다니지 않아서 환경이 쾌적해요.
편의 시설도 많이 모여 있어서 생활하기 편리해요.

1. 다음 방송을 잘 듣고 질문에 답하십시오.

01

1) 어떤 도시들을 소개하고 있습니까?

2) '스발바르'에 대해 들은 내용과 <u>다른</u> 것을 고르십시오.

① 여러 나라의 연구소가 위치해 있다.

② 남극을 여행하는 관광객이 많이 찾는다.

③ '스발바르'는 '차가운 바닷가'라는 말이다.

④ 자원이 풍부해서 다른 나라의 관심을 많이 받았다.

3) '푸에르토 윌리암스'가 관광 도시로서 유명해진 이유는 무엇입니까?

2. 다음 글을 읽고 질문에 답하십시오.

서울은 대한민국의 수도로서 정치, 경제, 사회, 문화의 중심지 역할을 하는 도시이다. 한반도의 서쪽 중심부에 위치해 있는 서울에는 한국 전체 인구의 20% 정도인 천만 명이 살고 있다. 한국에서 사람이 가장 많이 살고 있는 대도시이기 때문에 거리는 항상 사람들과 차들로 붐빈다. 하지만 지하철이나 버스 같은 대중교통이 발달되어 있어서 어디든지 편리하게 이동할 수 있다.

600년의 역사를 가진 서울은 과거와 현재가 공존하는 도시이다. 경복궁, 창덕궁, 종묘, 남대문 같은 유적들은 전통적인 역사 도시의 모습을 보여 준다. 반면에 고층 빌딩과 백화점, 방송국 등은 문화와 산업을 이끄는 현대적인 도시의 모습을 보여 준다. 서울은 대도시로서는 특이하게 산으로 둘러싸여 있는 도시이다. 그리고 도시 가운데에 한강이 흐르고 있다. 서울 사람들은 이런 산과 강에서 자연과 놀이, 그리고 휴식을 즐긴다. 이렇게 서울은 자연과 사람이 조화를 이루면서 과거의 전통과 현대의 활력이 만나 조화롭게 발전하는 도시이다.

1) 서울은 어떤 역할을 하는 도시입니까?

2) 서울의 특징을 이야기해 보십시오.

1. 여러분은 어떤 도시나 지역에 가 봤습니까? 또는 어떤 도시나 지역에 가 보고 싶습니까? 가 본 곳이나 가 보고 싶은 곳에 대해 이야기해 보세요.

저는 베트남 하노이에 가 본 적이 있어요. 하노이는 베트남의 수도로서 오랜 역사를 자랑하는 곳이에요. 인구가 집중되어 있는 도시이지만 아름다운 자연을 자랑하는 호수와 바다가 함께 있는 곳이기도 해요.

2. 세계의 도시나 지역 중에서 가 본 곳 또는 가 보고 싶은 곳을 소개하는 글을 써 보십시오.

도시나 지역 이름	
규모	
위치	
특징	
가 보고 싶은 이유	

노래에 담긴 도시

제주도의 푸른 밤

작사 / 작곡 / 노래: 최성원

떠나요 둘이서 모든 것 훌훌 버리고
제주도 푸른 밤 그 별 아래
이제는 더 이상 얽매이긴 우리 싫어요
신문에 티비에 월급봉투에
아파트 담벼락보다는 바다를 볼 수 있는 창문이 좋아요
낑깡 밭 일구고 감귤도 우리 둘이 가꿔 봐요
정말로 그대가 외롭다고 느껴진다면 떠나요
제주도 푸른 밤 하늘 아래로

떠나요 둘이서 힘들 게 별로 없어요
제주도 푸른 밤 그 별 아래
그동안 우리는 오랫동안 지쳤잖아요
술집에 카페에 많은 사람에
도시의 침묵보다는 바다의 속삭임이 좋아요
신혼부부 밀려와 똑같은 사진 찍기 구경하며
정말로 그대가 재미없다 느껴진다면 떠나요
제주도 푸르메가 살고 있는 곳

춘천 가는 기차

작사 / 작곡 / 노래: 김현철

조금은 지쳐 있었나 봐
쫓기는 듯한 내 생활
아무 계획도 없이
무작정 몸을 부대어 보며
힘들게 올라탄 기차는
어딘가 하니 춘천행
지난 일이 생각나
차라리 혼자도 좋겠네

춘천 가는 기차는 나를 데리고 가네
오월의 내 사랑이 숨 쉬는 곳
지금은 눈이 내린 끝없는 철길 위에
초라한 내 모습만 이 길을 따라가네
그리운 사람

차창 가득 뽀얗게
서린 입김을 닦아내 보니
흘러가는 한강은
예나 지금이나 변함없고
그곳에 도착하게 되면
술 한잔 마시고 싶어
저녁 때 돌아오는
내 취한 모습도 좋겠네

여수 밤바다

작사 / 작곡: 장범준, 노래: 버스커버스커

여수 밤바다 이 조명에 담긴 아름다운 얘기가 있어
네게 들려주고파 전화를 걸어 뭐 하고 있냐고
나는 지금 여수 밤바다 여수 밤바다
너와 함께 걷고 싶다
이 바다를 너와 함께 걷고 싶어
이 거리를 너와 함께 걷고 싶다

여수 밤바다 이 바람에 걸린 알 수 없는 향기가 있어
네게 전해 주고파 전화를 걸어 뭐 하고 있냐고
나는 지금 여수 밤바다 여수 밤바다
너와 함께 걷고 싶다

-(으)며 두 가지 이상의 동작이나 상태, 사실을 나열할 때 사용한다.

1. '-(으)며'를 사용해서 문장을 만들어 말해 보십시오.

1) 그 도시는 문화유산이 풍부하다 •　　　　　　• 다이어트에도 효과가 있다

2) 한국의 동쪽에는 일본이 있다 •　　　　　　• 연봉도 높다

3) 달리기는 건강에 좋다 •　　　　　　• 비용이 저렴하다

4) 기숙사는 교실에서 가깝다 •　　　　　　• 자연 환경이 아름답다

5) 우리 회사는 일이 많지 않다 •　　　　　　• 서쪽에는 중국이 있다

 그 도시는 문화유산이 풍부하며 자연 환경이 아름답다.

2. '-(으)며'를 사용해서 한국의 도시를 소개해 보십시오.

 서울: 맛있는 식당이 많다, 예쁜 카페도 많다
→ 서울에는 맛있는 식당이 많으며 예쁜 카페도 많다.

1) 인천: 서울과 가깝다, 경치가 좋다

→ _____.

2) 여수: 밤바다가 유명하다, 해산물이 맛있다

→ _____.

3) 전주: 전통 문화의 도시이다, 음식이 맛있기로 유명하다

→ _____.

4) 제주도: 산과 바다가 아름답다, 공기가 깨끗하다

→ _____.

3. '-(으)며'를 사용해서 음식을 소개하는 문장을 만들어 보십시오.

 삼계탕은 맵지 않으며 건강에도 좋다.

-고자 하다   말하는 사람이 어떤 행동을 하려는 의도나 희망을 가지고 있음을 나타낸다.

1. 다음에서 알맞은 말을 골라 '-고자 하다'를 사용해서 문장을 완성해 보십시오.

소개하다	알아내다	기부하다	말씀하다

1) 저는 우리 나라의 종교에 대해서 _____ .

2) 제가 지금까지 번 돈을 어려운 이웃을 위해 _____ .

3) 부모님께서 나에게 _____ 내용이 모두 편지에 쓰여 있었다.

4) 경찰은 수사를 계속해서 사건의 진실을 _____ .

2. '-고자'를 사용해서 문장을 만들어 말해 보십시오.

시험에 합격하고자 열심히 공부했다.

1) 시험에 합격하다 •   • 봉사 활동을 가기로 하다
2) 돈을 많이 모으다 •   • 다양한 정책을 세우다
3) 정부는 일자리를 늘리다 •   • 아르바이트를 하다
4) 한국 회사에 취직하다 •   • 열심히 공부하다
5) 태풍 피해 지역에 도움이 되다 •   • 한국어를 전공하다

3. 여러분이 하고자 하는 일이 있습니까? 여러분이 하고자 하는 일에 대해 이야기해 보십시오.

저는 좋은 아빠가 되고자 합니다. 얼마 전에 아이가 태어났는데 좋은 아빠가 되고자 자녀 교육에 대한 책도 많이 읽고 강의도 많이 듣고 있습니다.

1. 다음에서 알맞은 말을 골라 문장을 완성해서 말해 보십시오.

종교	농업	정치 제도	화폐

1) 이 나라의 .... 은/는 민주주의입니다.

2) 한국의 10,000원짜리 .... 에는 세종 대왕이 그려져 있다.

3) 내 고향은 .... 이/가 발달해서 논밭이 많다.

4) 인도네시아의 대표 .... 은/는 이슬람교이다.

2. 다음에서 알맞은 말을 골라 빈칸에 써서 글을 완성해 보십시오.

기후	종교	주요 산업	상징

이 나라는 어디일까요? 이 나라의 대표 1) .... 은/는 불교입니다. 2) .... 은/는
관광업입니다. 그래서 많은 사람들이 이 나라로 여행을 옵니다. 그리고 3) .... 은/는 1년 내내 따뜻한
열대 기후입니다. 코끼리는 이 나라의 대표적인 4) .... 입니다.

3. 다음을 보고 여러분 나라에 대해 이야기해 보십시오.

상징	면적	정치 제도	화폐
민족	언어	기후	종교	주요 산업

우리나라의 언어는 한국어입니다.

1. 다음을 잘 듣고 질문에 답하십시오.

1) 이 사람은 무엇을 하고 있습니까?

① 수업 시간에 중국에 대해 발표하고 있다.

② 관광객들에게 중국에 대해 안내하고 있다.

③ 학생들에게 중국에 대해 강의를 하고 있다.

④ 뉴스에서 중국에 대한 소식을 전달하고 있다.

2) 들은 내용과 <u>다른</u> 것을 고르십시오.

① 중국은 캐나다보다 면적이 넓다.

② 중국의 유명한 음식은 북경 오리이다.

③ 중국은 전 세계에서 인구가 가장 많다.

④ 시안은 중국에서 유명한 역사 도시이다.

2. 외국인들에게 여러분의 나라를 소개해 보십시오.

> 제가 태어난 나라 몽골의 수도는 울란바토르입니다. 몽골에서 유명한 여행지는 테를지 국립공원입니다. 테를지 국립공원은 산과 계곡이 매우 아름답고 깨끗한 곳으로 낮에는 말을 탈 수 있고 밤에는 수없이 많은 별을 볼 수 있습니다. 몽골에서 유명한 음식은 호쇼르인데, 한국의 만두와 모양이 비슷하고 안에 고기가 들어가 있어서 정말 맛있습니다.

1) 여러분 나라의 수도는 어디입니까?

2) 여러분 나라의 유명한 여행지는 어디입니까?

3) 여러분 나라에서 유명한 음식은 무엇입니까?

1. 다음 글을 읽고 질문에 답하십시오.

> 인도는 땅이 넓고 인구가 많기 때문에 지역별로 다양한 언어가 존재한다. 2011년 인도의 인구 조사 보고서에 따르면 인도 사람들이 사용하는 모어의 종류는 총 1만 9,569개이다. 그러나 인구의 96.7%는 22개 언어 중 하나를 모어로 사용하고 그중에서 가장 많은 사람이 사용하는 언어가 힌디어이다. 따라서 정부 기관이나 공식적인 상황에서는 힌디어와 영어를 주로 사용한다. 그리고 지역별로 많이 사용하는 언어를 지역의 공식 언어로 정할 수 있기 때문에 남인도와 동인도에서는 각각 타밀어와 벵갈어를 공식 언어로 지정하여 사용하고 있다. 이러한 언어의 다양성은 화폐에도 반영되어 있는데, 국민들이 화폐의 금액을 쉽게 확인할 수 있도록 힌디어와 영어 외에 15개의 공식 언어로 금액을 표시하고 있다. 이처럼 인도 정부는 다양한 언어를 공식 언어로 인정하고 있으며 각 지역의 특성을 존중하는 문화를 가지고 있다.

1) 윗글의 제목으로 알맞은 것을 고르십시오.

① 인도의 인구와 면적

② 인도의 화폐 속 인물

③ 인도의 다양한 공식 언어

④ 인도 인구의 지역별 특징

2) 윗글의 내용과 <u>다른</u> 것을 고르십시오.

① 인도는 지역별로 다양한 언어를 사용한다.

② 인도에서는 힌디어를 가장 많이 사용한다.

③ 인도 전체에는 22개의 언어가 사용되고 있다.

④ 인도의 화폐에는 다양한 언어로 금액이 표시되어 있다.

2. 다음을 생각해 보고 여러분 나라의 언어를 소개하는 글을 써 보십시오.

• 여러분 나라의 공용어는 무엇입니까?

• 하나의 공용어만 사용합니까? 다양한 언어를 사용합니까?

• 사투리가 있습니까? 있다면 사투리의 특징은 무엇입니까?

세계에서 가장 ○○한 나라

전 세계에서 인구가 가장 적은 나라는 어디일까요? 섬이 가장 많은 나라는 어디일까요? 특별한 나라를 소개해 보고자 합니다.

인구가 가장 적은 나라 **바티칸**

전 세계에서 인구가 가장 적은 나라는 바티칸이다. 바티칸은 도시 국가로 이탈리아의 수도 로마 안에 위치하고 있다. 전체 인구가 약 1,400명 정도이며, 면적은 0.44km²이다. 작은 나라지만 많은 가톨릭 유적과 박물관이 있어서 매년 약 600만 명의 관광객이 방문한다.

섬이 가장 많은 나라 **인도네시아**

전 세계에서 섬이 가장 많은 나라는 인도네시아이다. 인도네시아는 약 1만 8,200개의 섬으로 이루어진 섬나라이다. 큰 섬이 많아서 면적이 매우 넓고 인구도 많아서 전 세계에서 4번째로 인구가 많다. 수도는 자카르타이며 산과 바다가 아름다워서 많은 관광객들이 찾는 관광 국가이다.

가장 더운 나라 **부르키나파소**

전 세계에서 가장 더운 나라는 아프리카의 부르키나파소이다. 부르키나파소의 평균 기온은 28.25℃이다. 아프리카의 서쪽에 위치하고 있으며, 북쪽 지역은 사하라 사막과 이어져 있어서 날씨가 매우 덥다. 부르키나파소는 더운 날씨로 인해 물이 부족해 가뭄 문제가 매우 심각하다.

남북으로 가장 긴 나라 **브라질**

전 세계에서 남북으로 가장 긴 나라는 브라질이다. 브라질의 남쪽 끝에서 북쪽 끝까지의 거리는 4,400km이다. 브라질에는 전 세계에서 두 번째로 긴 아마존강이 흐르고 있으며, 세계 최대의 밀림이 있다. 삼바 축제가 유명하고, 브라질 사람들은 축구를 좋아한다.

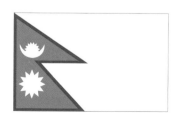

가장 높은 곳에 있는 나라 **네팔**

전 세계에서 가장 높은 곳에 있는 나라는 네팔이다. 네팔에는 전 세계에서 가장 높은 에베레스트(8,848m)를 포함하여 8,000m가 넘는 높은 산이 모여 있는 히말라야 산맥이 있다. 그래서 네팔의 북쪽 지역은 '세계의 지붕'이라고 불린다. 높은 산이 많아 환경이 오염되지 않은 깨끗한 곳으로 인기가 많은 국가이다.

부록

/ 듣기 지문   / 모범 답안   / 어휘와 표현 색인   / 자료 출처

듣기
지문
4A

---

01 🔊 여건이 된다면 외국에서 1년쯤 살아 봤으면 해요

듣고 말하기 | 1번 | 9쪽

다음 대화를 잘 듣고 질문에 답하십시오.

재민: 영화 포스터네요. 무슨 영화예요?

주노: 아, 〈버킷 리스트〉라는 영화인데요. 병원에서 만난 두 남자가 함께 여행하는 이야기예요. 두 사람은 병에 걸려서 오래 살지 못하거든요. 그래서 함께 여행하면서 죽기 전에 하고 싶었던 일들에 도전해요.

재민: 인생과 죽음에 대한 영화네요. 그래서 두 사람이 첫 번째로 도전한 게 뭐예요?

주노: 스카이다이빙이에요. 처음에는 조금 망설이지만 그래도 두 사람 모두 스카이다이빙을 신나게 즐겨요. 두 사람이 하늘을 나는 모습을 보면서 제 마음도 시원해지는 것 같았어요. 그 다음에도 두 사람은 서로 해 보고 싶었던 일들을 하나씩 하나씩 해 나가요. 몸에 문신도 새기고, 중국의 만리장성에도 가고, 이집트의 피라미드도 보러 가요.

재민: 그렇게 하고 싶은 일들에 도전할 수 있다면 몸이 아파도 행복할 것 같아요.

주노: 맞아요. 결국 두 사람이 죽는 것으로 영화가 끝나는데요. 슬프기보다는 감동적이었어요.

---

02 🔊 한 번쯤 가 볼 만한 곳이야

듣고 말하기 | 1번 | 15쪽

다음 대화를 잘 듣고 질문에 답하십시오.

유진: 수지야, 곧 연휴인데 연휴 때 뭐 할 거야?

수지: 이번에 연휴가 길어서 여행을 가려고 생각 중이야.

유진: 오, 나도. 어디로 갈 생각이야?

수지: 로마에 가려고 알아보고 있어. 역사 깊은 곳을 좋아해서 전부터 로마에 꼭 한번 가 보고 싶었거든.

유진: 로마 좋지. 오래된 건축물들이 정말 많던데 직접 가서 보면 얼마나 멋지겠어.

수지: 그러니까. 꼭 갈 수 있었으면 좋겠어. 근데 유진, 너는 여행 갈 곳을 정했어?

유진: 아, 나는 활기 넘치는 곳을 좋아해서 방콕에 가려고 해. 밤늦게까지 하는 시장도 많고 즐길 거리도 많아서 가 볼 만할 것 같아.

---

03 🔊 드디어 새 앨범이 나온대

듣고 말하기 | 1번 | 22쪽

다음 안내 방송을 잘 듣고 질문에 답하십시오.

선생님: 여러분, 안녕하세요? 다음 달 9일, 우리 세종학당에서는 한글날을 맞아 특별한 문화 행사가 열립니다. 세종 대왕이 한글을 만들게 된 이유와 그 의미를 같이 알아보고, '한글날'이라는 단어로 '삼행시 대회'를 실시합니다. 대회에서 수상하시는 분들에게 드릴 특별한 상품이 많이 준비되어 있습니다. 그리고 대회가 끝난 후에는 한국에서 유행하는 노래와 춤을 배워 보는 시간을 가질 예정이니 한국과 한글을 사랑하는 여러분의 많은 관심 부탁드립니다. 자세한 내용과 참가 신청 방법은 세종학당 홈페이지에서 확인해 주세요.

---

04 🔊 폭설로 인해서 많은 피해가 발생하고 있습니다

듣고 말하기 | 1번 | 27쪽

다음 안내 방송을 잘 듣고 질문에 답하십시오.

남자: 승객 여러분께 안내 말씀 드리겠습니다. 지하철 내 화재 발생 시에는 출입문 옆에 설치되어 있는 비상벨을 눌러 화재 위치를 알려 주시기 바랍니다. 이후 소화기를 사용하실 수 있는 손님께서는 열차 안에 있는 소화기를 사용하여 불을 꺼 주시기 바랍니다. 밖으로 나가야 할 때에는 승무원의 안내에 따라 출입문 비상 손잡이를 앞으로 당겨 손으로 문을 열고 밖으로 나가시기 바랍니다. 대피를 할 때에는 손으로 입을 막지 마시고, 마스크를 쓰거나 손수건으로 입을 막아 유독 가스가 몸 안으로 들어오지 않도록 해야 합니다. 철로를 따라 대피를 할 때에는 반대편에서 오는 지하철을 피할 수 있도록 승무원의 안내에 따라 안전하게 대피하시기 바랍니다.

05 🔊 어떤 앱을 주로 사용하냐면요

듣고 말하기 | 1번 | 33쪽

다음 대화를 잘 듣고 질문에 답하십시오.

주노: 마리 씨는 운동을 주로 어떻게 해요?

마리: 저는 퇴근 후에 집에서 인터넷 영상을 보면서 따라 하고 있어요.

주노: 그래요? 집에서 혼자 해도 운동이 잘 돼요?

마리: 저는 할 만하더라고요. 제가 이용하는 사이트에는 쉽게 따라 할 수 있는 운동 영상이 많이 올라와 있거든요. 집에 있는 가구로 할 수 있는 운동을 많이 소개해 줘서 따라 하기가 쉬워요.

주노: 그 사이트가 뭐예요?

마리: 그 사이트가 뭐냐면요, 바로 '운동소년'이에요.

주노: (키보드를 빠르게 치는 소리) '운동소년'. 재미있어 보이네요. 저도 이 사이트 한번 이용해 봐야겠어요.

06 🔊 마늘은 면역력을 높여 줄 뿐만 아니라 암 예방에도 좋습니다

듣고 읽기 | 1번 | 39쪽

다음 방송을 잘 듣고 질문에 답하십시오.

리포터: 오늘의 건강 상식. 여러분, 음식도 서로 잘 어울리는 관계가 있다는 사실, 알고 계시나요? 사람도 서로 잘 어울리고 함께 있을 때 더 좋은 사람이 있는 것처럼 음식도 같이 먹을 때 효과가 더 좋은 음식들이 있습니다. 대표적인 예로는 바로 토마토와 딸기가 있는데요. 토마토와 딸기 모두 면역력을 높이는 영양소가 풍부할 뿐만 아니라 둘이 같이 먹을 때 그 효과가 더욱 커져서 건강을 지키는 최고의 파트너라고 할 수 있습니다. 그런데 서로 어울리지 않는 음식도 있는데요. 토마토를 먹을 때 단맛을 높이기 위해 설탕을 뿌리기도 하지만, 설탕은 토마토의 비타민 B 섭취를 줄어들게 해 건강에 좋지 않습니다. 오늘부터는 설탕 대신 딸기와 함께 토마토를 더욱 맛있고 건강하게 드셔 보세요!

07 🔊 버스가 흔들려서 넘어질 뻔했어요

듣고 말하기 | 1번 | 45쪽

다음 대화를 잘 듣고 질문에 답하십시오.

여자: 저 앞에 공원이 있네요. 우리 저기 들어가서 좀 쉬었다 가요.

남자: 그래요. 참, 그런데 자전거를 가지고 들어가도 괜찮을까요? 지난번에 보니까 자전거 출입을 금지하는 공원도 있더라고요.

여자: 네. 요즘에 그런 곳이 종종 있어요. 아이들이나 산책하는 사람들의 안전을 위해서 그렇게 하는 것 같아요. 그런데 저기는 괜찮은 모양이네요. 안에 자전거 타는 사람들이 많이 있어요.

남자: 진짜 그러네요. 다행이에요. 지난번에 그 공원에서는 좀 부끄러웠어요. 제가 공원에서 자전거를 타고 있는데 잔디밭에서 공놀이를 하던

아이들이 다 저를 쳐다보는 거예요. 잠시 후에 공원 관리하시는 분이 뛰어오셨어요. 그리고 여기서는 자전거를 타면 안 된다고 말씀하시더라고요. 자세히 보니까 자전거 출입 금지 안내판이 여러 개 있더라고요. 제가 못 본 거죠. 창피해서 죽을 뻔했어요. 그래서 급하게 나오다가 옆에 있는 나무에 부딪칠 뻔했어요.

여자: 그랬군요. 저도 앞으로 자전거 탈 때는 안내판을 잘 봐야겠네요.

08 🔊 가을이 되면 잘 익은 감이 주렁주렁 달렸다

듣고 말하기 | 1번 | 51쪽

다음 대화를 잘 듣고 질문에 답하십시오.

유진: 여기가 제가 어렸을 때 살았던 곳이에요. 어, 저기 대형 마트가 생겼네요. 옛날에는 집들도 이렇게 많지 않았는데….

민호: 그래요? 옛날에는 어땠는데요?

유진: 10년 전에는 여기가 다 과수원이었어요. 특히 복숭아나무가 많았는데, 봄이 되면 복숭아꽃이 피어서 그림을 그린 듯이 아름다웠어요. 그리고 마트 뒤쪽 언덕에는 푸른 들판이 펼쳐져 있었고요.

민호: 상상이 잘 안 되네요. 지금은 완전히 시내 중심지 같은데.

유진: 그러게요. 어렸을 때 저 들판에서 자주 놀았어요. 겨울에 눈이 오면 저기서 친구들이랑 썰매도 타고 눈사람도 만들었어요. 눈 위에서 놀다 보면 겨울 왕국에 와 있는 듯한 기분이 들었어요. 지금도 그때가 눈에 선한데 이젠 완전히 다른 곳이 된 것 같아요.

민호: 유진 씨한테는 추억이 많은 곳인데 너무 많이 변해서 서운하겠어요.

09 🔊 이번 주 방송 정말 볼 만하지 않았어?

듣고 읽기 | 1번 | 57쪽

다음 방송을 잘 듣고 질문에 답하십시오.

진행자: 여러분, 스타들의 일상생활이 궁금하지 않으세요? 카메라가 꺼진 뒤, 스타의 진짜 모습을 알아보는 관찰 예능 프로그램 〈지금 뭐해〉가 이번 주 토요일 저녁 7시에 첫 방송됩니다. 세계적인 가수 '린다'와 배우 '정지우'가 출연하는 것으로 알려져 방송 전부터 큰 화제가 되고 있는데요. 두 사람 모두 방송 최초로 자신의 집을 공개했다고 합니다. 스케줄이 없는 날 두 사람은 무엇을 하면서 하루를 보낼까요? 멀게만 느껴졌던 스타들의 공감 가는 모습을 방송에서 확인하실 수 있습니다. 이번 주 토요일 첫 방송, 많은 시청 부탁드리겠습니다.

10 🔊 주인공이 책상 위를 보더니 깜짝 놀라서 무엇인가를 찾기 시작하는 거야

듣고 읽기 1번 63쪽

다음 방송을 잘 듣고 질문에 답하십시오.

진행자: 이번 주 〈같이 읽어요〉 시간에 소개해 드릴 책은 바로 김초이 작가의 신작 〈이름〉입니다. 대학 졸업을 앞둔 주인공 '민수'는 아직 하고 싶은 일을 찾지 못했습니다. 이름처럼 평범한 '민수'는 특별히 잘하는 것도, 잘하고 싶은 것도 없는 학생이었습니다. 그러던 어느 날, '민수'는 친구들과 함께한 저녁 식사 자리에서 행복한 모습으로 자신의 꿈을 이야기하는 친구들을 보더니 깊은 고민에 빠집니다. '내가 진짜 좋아하는 건 뭘까? 나는 어떤 사람이 되고 싶은 걸까?' 처음으로 자기 자신이 궁금해진 '민수'는 그동안 몰랐던 진짜 '나'를 찾기 위한 여행을 떠납니다. 여행에서 새로운 경험과 갈등을 겪게 되는 '민수'. 여행이 끝난 '민수'는 어떻게 달라졌을까요? 진짜 '나'에 대해 생각해 보게 하는 책 〈이름〉, 이번 주에는 휴대폰을 잠시 내려놓고 이 책을 읽어 보는 거 어떠세요?

11 🔊 저는 춘천에 대해 소개하겠습니다

듣고 읽기 1번 69쪽

다음 방송을 잘 듣고 질문에 답하십시오.

진행자: 오늘은 세상 끝에 있는 도시들을 소개해 드리겠습니다. 먼저 지구의 가장 북쪽에 있는 도시는 노르웨이의 스발바르입니다. 스발바르는 '차가운 바닷가'라는 말입니다. 이곳은 자원이 풍부해서 20세기부터 많은 나라들의 관심을 받았는데요. 요즘에는 관광지로서도 주목받고 있습니다. 또 이곳에는 북극을 연구하기 위한 각국의 연구소들도 있습니다. 현재 스발바르에는 2,700명 정도의 주민이 살고 있다고 하네요. 자, 그렇다면 지구의 가장 남쪽에 있는 도시는 어디일까요? 바로 칠레의 나바리노섬에 위치한 푸에르토윌리암스입니다. 이곳은 칠레의 해군 기지로 사용되던 곳인데요. 지금은 '세계에서 가장 남쪽에 있는 마을'이라는 이름 덕분에 관광 도시로서 유명해졌습니다. 또 남극 여행을 시작하거나 끝낸 관광객들이 휴식을 취하는 곳이기도 합니다. 북극이나 남극 여행에 관심이 있는 사람이라면 이 도시들을 잘 기억해 두시면 좋겠네요.

12 🔊 한국에 대해 발표하고자 합니다

듣고 말하기 1번 75쪽

다음을 잘 듣고 질문에 답하십시오.

관광 안내원: 안녕하십니까. 중국까지 오시느라 수고 많으셨습니다. 오늘부터 여러분들께 북경을 소개할 안내원 장레이입니다. 앞으로 2박 3일 동안 저와 함께 북경을 여행하시게 될 텐데요. 북경 여행에 앞서 중국이라는 나라를 간단하게 소개하고자 합니다. 다들 아시겠지만 중국은 전 세계에서 인구가 가장 많은 나라입니다. 그리고 면적은 러시아, 캐나다, 미국에 이어 세계 4위입니다. 중국의 수도는 북경이며, 공식 언어는 중국어입니다. 중국에서 유명한 도시는 수도인 북경과 야경이 아름다운 상해 그리고 유명한 역사 도시 시안입니다. 전 세계의 많은 관광객들이 아름다운 세 도시로 여행을 옵니다. 유명한 음식은 다들 잘 아시는 북경 오리, 양꼬치, 마파두부 등이 있습니다. 이것으로 중국에 대한 간단한 소개를 마치겠습니다. 이제 북경에 오셨으니 북경 오리를 드셔야겠죠? 제가 맛있는 식당으로 여러분들을 안내하겠습니다. 감사합니다.

모범 답안
4A

---

01 여건이 된다면 외국에서 1년쯤 살아 봤으면 해요

문법 | 1번 | 6쪽

2) 내가 선생님이 된다면 숙제를 내주지 않을 거예요.
3) 아침에 일찍 일어난다면 수업에 지각하지 않을 거예요.
4) 좋아하는 가수를 만난다면 함께 사진을 찍을 거예요.
5) 겨울에 눈이 많이 내린다면 눈사람도 만들고 눈싸움도 할 거예요.

문법 | 2번 | 6쪽

한국어를 잘하게 된다면 한국 여행을 많이 할 거예요. /
네가 같이 먹는다면 라면을 두 개 끓일게. /
네가 안 간다면 나도 안 갈 거야.

대화 속 문법 | 1번 | 7쪽

1) 다음에 돌려줘도 괜찮으니까 책을 꼭 다 읽어 봤으면 해요.
2) 바쁘지만 그래도 모임에 꼭 참석했으면 해요.
3) 기회를 봐서 부모님께 말씀드렸으면 해요.
4) 내가 하는 말을 오해하지 말았으면/않았으면 해요.

대화 속 문법 | 2번 | 7쪽

1) 기타를 배웠으면 해요
2) 장학금을 받았으면 해요
3) 바닷가에 놀러 갔으면 해요
4) 전공 공부를 좀 더 했으면 해요

---

5) 운전면허를 땄으면 해요

어휘와 표현 | 2번 | 8쪽

1) 채널
2) 개인 방송
3) 완주한
4) 마라톤
5) 일주

듣고 말하기 | 1번 | 9쪽

1) 버킷 리스트
2) 스카이다이빙
3) ②

읽고 쓰기 | 1번 | 10쪽

1) 강아지를 키우는 것
2) 주인 없는 강아지를 보호하는 곳
3) 반려동물을 키우려면 해야 하는 일도 많고 책임감도 꼭 필요하다는 것

02 한 번쯤 가 볼 만한 곳이야

문법 | 1번 | 12쪽

1) 경치가 정말 좋아서 한 번쯤 가 볼 만해요
2) 외국에서 한 번쯤 살아 볼 만해요
3) 이 노래는 가사가 쉬워서 따라 부를 만해요
4) 처음에는 낯설었는데 지금은 익숙해져서 지낼 만해요

문법 | 2번 | 12쪽

2) 일이 많지 않아서 혼자 할 만해요.
3) 옷이 두꺼워서 한겨울에도 입을 만해요.
4) 조금 전에 약을 먹어서 참을 만해요.
5) 책상이 오래되었지만 깨끗해서 아직 쓸 만해요.

대화 속 문법 | 1번 | 13쪽

1) 계속 기침을 하던데
2) 밖에 비 오던데
3) 모자를 자주 쓰던데
4) 아침에 사 온 빵 맛있던데
5) 점심시간에 안 보이던데

대화 속 문법 | 2번 | 13쪽

2) 하나 카페에서 주말 아르바이트를 구하던데 연락해 보는 거 어때요
3) 머루식당에 신메뉴가 나왔던데 먹어 봤어요
4) 12월 31일에 케이팝(K-POP) 콘서트를 하던데 같이 보러 갈래요

어휘와 표현 | 1번 | 14쪽

1) 현대적이에요.
2) 전망이 좋아요.
3) 낭만적이에요.
4) 촬영지로 유명해요.

어휘와 표현 | 2번 | 14쪽

1) 여유를 즐기고
2) 이국적인 분위기를 풍겨요
3) 색다른 경치를 자랑해요

듣고 말하기 | 1번 | 15쪽

1)

장소	이유
로마	역사 깊은 곳을 좋아해서

2)

장소	이유
방콕	활기 넘치는 곳을 좋아해서

읽고 쓰기 | 1번 | 16쪽

1) 친구들과 3박 4일
2) 볼 만한 게 많은 곳, 이국적이고 색다른 분위기를 느낄 수 있는 곳

03 🖉 드디어 새 앨범이 나온대

문법 | 1번 | 18쪽

2) 재민 씨가 요즘 일이 정말 바쁘대요
3) 수지 씨가 건강이 많이 좋아졌대요
4) 마리 씨가 내년에 대학원에 입학할 거래요
5) 유진 씨가 이번 휴가 때 바다에 가고 싶대요

문법 | 2번 | 18쪽

1) 여기에서 음식을 먹으면 안 된대요.
2) 내일 하루 종일 비가 올 거래요. / 내일 하루 종일 비가 온대요.
3) 백화점의 영업 시간은 오전 10시부터 오후 8시까지이고 마지막 주 월요일은 휴무래요.

대화 속 문법 | 1번 | 19쪽

2) 유진 씨가 진 씨의 생일 선물을 같이 고르러 가재요
3) 주노 씨가 주말에 집으로 놀러 오래요
4) 마리 씨가 비행기 표를 얼마에 샀냐요
5) 수지 씨가 수업 끝나고 잠깐 이야기 좀 하재요
6) 재민 씨가 이 영화 보지 말래요

대화 속 문법 | 2번 | 19쪽

2) 공자가 화가 날 때 결과를 생각하쟀어요
3) 셰익스피어가 오늘은 이러고 있지만 내일은 어떻게 될지 누가 아냈어요
4) 버지니아 울프가 다른 누군가가 되려고 하지 말고 나 자신이 되랬어요

어휘와 표현 | 1번 | 20쪽

1) 대회가 열린다
2) 실패하는
3) 기부한다
4) 경제가 발전하기

어휘와 표현 | 2번 | 20쪽

1) 진출
2) 유행
3) 흥행 성공
4) 수상자

읽고 쓰기 | 1번 | 21쪽

1) 한국을 사랑하는 전 세계인을 위한 영상제
2) 행사 내용, 참가 대상, 일정 및 신청 방법, 수상 혜택

듣고 말하기 | 1번 | 22쪽

1) 한글날 문화 행사
2) 세종 대왕이 한글을 만들게 된 이유와 그 의미에 대해 같이 알아보기, '한글날'이라는 단어로 삼행시 대회, 한국에서 유행하는 노래와 춤 배우기
3) 세종학당 홈페이지에서 확인

04 🖉 폭설로 인해서 많은 피해가 발생하고 있습니다

문법 | 1번 | 24쪽

2) 산불로 인해서 넓은 숲이 사라졌습니다.
3) 시험으로 인해서 스트레스를 받는 학생이 많습니다.
4) 폭우로 인해서 비행기가 취소되었습니다.
5) 어깨 수술로 인해서 경기에 나갈 수 없습니다.

문법 | 2번 | 24쪽

1) 올겨울 추운 날씨로 인해서 감기 환자가 증가하였습니다.
2) 오늘 아침 큰비로 인해서 도시 전체가 물에 잠겼습니다.
3) 오늘 오후 예정된 축구 경기는 태풍으로 인해서 취소되었습니다.
4) 최근 스트레스로 인해서 게임에 중독된 청소년이 증가하였습니다.

문법 | 3번 | 24쪽

[예시]
1) 일회용품 사용 증가로 인해서 환경이 오염되었다.

2) 교통사고로 인해서 사람이 다쳤다.

3) 비싼 집값으로 인해서 생활이 힘들어졌다.

4) 무리한 다이어트로 인해서 건강이 나빠졌다.

대화 속 문법 | 1번 | 25쪽

2) 교통사고가 나면서 고속도로가 막혔다.

3) 지진이 발생하면서 건물이 무너졌다.

4) 경제가 나빠지면서 취업이 힘들어졌다.

5) 퇴근 후에 운동을 하면서 예전보다 건강해졌다.

대화 속 문법 | 2번 | 25쪽

1) 비가 내리지 않으면서

2) 야식을 끊으면서

3) 회사가 많이 생기면서

4) 스트레스를 받으면서

대화 속 문법 | 3번 | 25쪽

태풍이 오면서 비바람이 많이 불었어요.

비바람이 많이 불면서 나무가 쓰러졌어요.

나무가 쓰러지면서 전기선이 끊어졌어요.

어휘와 표현 | 1번 | 26쪽

1) 가뭄이 들어서 땅이 갈라졌어요.

2) 축구 선수가 부상을 입었어요.

3) 실종된 강아지를 찾고 있어요.

4) 화산이 폭발하면서 연기가 많이 났어요.

어휘와 표현 | 2번 | 26쪽

1) 산사태가 나서

2) 피해를 입은

3) 사망자

4) 산불

5) 전염병

듣고 말하기 | 1번 | 27쪽

1) ②

2) ① ○   ② ×   ③ ○

읽고 쓰기 | 1번 | 28쪽

1) ①   2) ④

읽고 쓰기 | 2번 | 28쪽

[예시]

남자가 자전거를 타고 가다가 전화가 와서 전화를 받았다. 통화를 하느라

걸어오는 여자를 보지 못했고, 부딪쳐서 사고가 났다. 경찰이 와서 조사를 한 후에 사고로 인해서 다친 여자가 구급차를 타고 갔다.

05 ✏️ 어떤 앱을 주로 사용하냐면요

문법 | 1번 | 30쪽

1) 먹었냐면요

2) 갔냐면요

3) 구했냐면요

4) 주문하냐면요

문법 | 2번 | 30쪽

1) 퇴근 후에 뭘 하냐면

2) 주말에 뭘 했냐면

3) 어떻게 영상 통화를 하냐면

4) 이 구두를 어디에서 샀냐면

대화 속 문법 | 1번 | 31쪽

2) 예매하지 않으면 좋은 자리의 표를 구하기가 어려워요.

3) 인터넷에서 검색하면 맛집을 찾기가 편해요.

4) 열심히 공부하지 않으면 시험에 합격하기가 힘들어요.

5) 스마트폰을 자주 사용하면 눈이 나빠지기가 쉬워요.

대화 속 문법 | 2번 | 31쪽

1) 온라인 쇼핑은 환불하기가 편해요.

2) 피아노는 혼자서 배우기가 어려운 악기예요.

3) 환절기에는 감기에 걸리기가 쉬워요.

4) 외국인은 사투리를 이해하기가 힘들어요.

어휘와 표현 | 1번 | 32쪽

1) 집에서 온라인 강의를 들었어요.

2) 인터넷에서 파일을 다운 받았어요.

3) 에스엔에스(SNS)에 커피 사진을 올렸어요.

어휘와 표현 | 2번 | 32쪽

1) 사진을 첨부하면

2) 회원 가입을 해야 해요

3) 마우스를 클릭하는

4) 맛집을 검색해서

5) 댓글을 썼어요

듣고 말하기 | 1번 | 33쪽

1) ②   2) ①

1) 집 근처에 사는 이웃들과 중고 물건을 거래할 수 있다.

2) ②

06 ✏️ 마늘은 면역력을 높여 줄 뿐만 아니라 암 예방에도 좋습니다

문법 | 1번 | 36쪽

2) 이 노트북은 가격이 저렴할 뿐만 아니라 기능이 다양합니다.

3) 제주도는 자연경관이 아름다울 뿐만 아니라 먹을거리가 풍부합니다.

4) 수잔은 성격이 적극적일 뿐만 아니라 매우 친절합니다.

5) 이번 일은 회사에 도움이 될 뿐만 아니라 개인적으로도 배울 게 많습니다.

문법 | 2번 | 36쪽

1) 맛있을 뿐만 아니라

2) 잘할 뿐만 아니라

3) 편리할 뿐만 아니라

4) 어려웠을 뿐만 아니라

대화 속 문법 | 1번 | 37쪽

1) 친구를 깜짝 놀라게 했어요

2) 부모님의 마음을 아프게 했어요

3) 동생에게 라면을 사 오게 했어요

4) 아이에게 수영을 배우게 했어요

대화 속 문법 | 2번 | 37쪽

1) 어머니가 아이에게 책을 읽게 했어요

2) 아버지가 아이에게 손을 씻게 했어요

3) 아버지가 아이에게 옷을 입게 했어요

4) 어머니가 아이에게 청소를 하게 했어요

어휘와 표현 | 1번 | 38쪽

1) 시금치는 뼈를 튼튼하게 해요.

2) 자몽은 피로 회복에 좋아요.

3) 콩은 기억력을 향상시켜요.

4) 레몬은 면역력을 높여요.

어휘와 표현 | 2번 | 38쪽

1) 소화가 안 될 때 매실을 먹으면 소화가 잘돼요

2) 체력이 떨어졌을 때 홍삼을 먹으면 체력을 보충할 수 있어요

3) 시력이 나빠졌을 때 견과류를 먹으면 시력을 보호할 수 있어요

듣고 읽기 | 1번 | 39쪽

1) 딸기, 면역력을 높이는 영양소가 풍부할 뿐만 아니라 토마토와 같이 먹을 때 그 효과가 더욱 커지기 때문에

2) 설탕은 토마토의 비타민 B를 줄어들게 하기 때문에

듣고 읽기 | 2번 | 39쪽

1) 끓는 물에 2~3분 정도 데친다.

2) 시금치의 철분을 우리 몸에 잘 흡수되게 한다.

07 ✏️ 버스가 흔들려서 넘어질 뻔했어요

문법 | 1번 | 42쪽

2) 줄넘기를 하다가 줄에 걸려서 넘어질 뻔했어요.

3) 친구의 얼굴이 많이 변해서 못 알아볼 뻔했어요.

4) 큰 배가 지나가면서 파도가 쳐서 제가 탄 보트가 뒤집힐 뻔했어요.

5) 한 문제만 더 틀렸으면 시험에 떨어질 뻔했어요.

문법 | 2번 | 42쪽

1) 놓칠 뻔했다

2) 사고가 날 뻔했다

3) 지각할 뻔했다

4) 못 만날 뻔했다

5) 못 내릴 뻔했다

문법 | 3번 | 42쪽

1) 회사에 합격한 사실을 알고 너무 좋아서 소리를 지를 뻔했어요.

2) 태풍 때문에 바람이 많이 불어서 나무가 쓰러질 뻔했어요.

3) 급하게 나오는 바람에 휴대폰을 놓고 나올 뻔했어요.

4) 요리를 하다가 불이 날 뻔했어요.

대화 속 문법 | 1번 | 43쪽

1) 아무 때나

2) 아무 데나

3) 아무나

4) 아무거나

대화 속 문법 | 2번 | 43쪽

1) 아무거나 주세요

2) 아무나 올 수 있어요

3) 아무 종이나

4) 아무 말이나 해 보세요

어휘와 표현 | 1번 | 44쪽

1) 얼굴을 들 수가 없었어요

2) 떨렸어요

3) 자랑스럽다고

4) 깜짝 놀라서

어휘와 표현 | 2번 | 44쪽

1) 보람을 느꼈다

  보람이 없었다

2) 얼굴이 하얘졌다

  얼굴이 빨개졌다

3) 얼굴을 들고 다닐 수 있게

  얼굴을 들 수가 없었다

듣고 말하기 | 1번 | 45쪽

1) 자전거를 타다가 공원에 들어가서 쉬려고 한다.

2) ①

읽고 쓰기 | 1번 | 46쪽

1) 당황스럽기도 하고 웃기기도 했다.

2) ①

08 가을이 되면 잘 익은 감이 주렁주렁 달렸다

문법 | 1번 | 48쪽

1) 못 본 듯이

2) 굵은 듯이

3) 만날 듯이

4) 넘어질 듯이

5) 내릴 듯이

문법 | 2번 | 48쪽

1) 문제가 다 해결되어서 속이 시원한 듯이 크게 웃었다

2) 걱정이 되어서 땅이 꺼질 듯이 한숨을 쉬었다

3) 오후가 되자 비가 올 듯이 갑자기 하늘이 어두워졌다

4) 장학생이 되었다는 말을 듣고 하늘을 날 듯이 기분이 좋았다

5) 침대에 눕자마자 기절한 듯이 금방 잠들었다

대화 속 문법 | 1번 | 49쪽

-이-	-히-	-리-	-기-
쓰이다	막히다	들리다	안기다
놓이다	닫히다	열리다	감기다
	밟히다		끊기다

대화 속 문법 | 2번 | 49쪽

1) 쌓였어요

2) 놓여

3) 들려요

4) 걸려

5) 잠겨

대화 속 문법 | 3번 | 49쪽

1) 모기에게 물렸다

2) 반장으로 뽑혔다

3) 바뀌었다

4) 많이 잡혔다

어휘와 표현 | 1번 | 50쪽

[예시]

1) 산으로 둘러싸여 있는 마을의 모습이 그림같이 아름다워요.

2) 맑은 하늘 아래로 푸른 들이 펼쳐져 있어요.

3) 고층 빌딩이 늘어서 있는 대도시예요.

어휘와 표현 | 2번 | 50쪽

1) 펼쳐져

2) 붐볐다

3) 이어져

4) 늘어서

5) 둘러싸여

듣고 말하기 | 1번 | 51쪽

1) ①   2) ③

읽고 쓰기 | 1번 | 52쪽

1) 노란색이나 흰색에 지우개처럼 길쭉한 사각형 모양

2) 큰 가방을 들고 다니면서 물건을 파는 사람들

09 이번 주 방송 정말 볼 만하지 않았어?

문법 | 1번 | 54쪽

2) 한국어 공부하기 힘들지 않아요?

3) 저 사람 너무 예의 없지 않아요?

4) 이 동네 살기 편하지 않아요?

5) 이 노래 멜로디가 정말 중독적이지 않아요?

문법 | 2번 | 54쪽

1) 많이 바쁘지 않아요

2) 너무 멀지 않아요

3) 좀 어둡지 않아요

4) 정말 행복하지 않았어요

1) 얼마나 좋아한다고
2) 얼마나 춥다고요
3) 얼마나 바빴다고
4) 얼마나 좋았다고요

1) 얼마나 맛있는 식당이 많다고
2) 노래도 얼마나 잘한다고요
3) 캠핑이 얼마나 재미있다고요
4) 얼마나 큰 도움이 된다고

1) 교훈을 준다
2) 유익한
3) 사회를 반영하고
4) 상식을 쌓을 수

1) 스타들의 일상생활을 관찰하는 예능 프로그램
2) ③

1) 역사 여행 프로그램

10 🖉 주인공이 책상 위를 보더니 깜짝 놀라서 무엇인가를 찾기 시작하는 거야

1) 결혼하더니
2) 시험지를 보더니
3) 전화를 받더니
4) 수업 시간에 졸더니

1) 떡볶이를 먹더니 깜짝 놀랐어요
2) 편지를 읽더니 울었어요
3) 노래를 듣더니 춤을 췄어요

1) 화를 내는 거예요
2) 할인 행사를 하는 거예요
3) 양이 너무 많은 거예요
4) 이상한 소리가 들리는 거예요
5) 사진에서 본 것하고 너무 다른 거야

1) 인터넷에서 산 옷이 왔는데 사이즈가 너무 작은 거예요
2) 주말에 등산을 갔는데 올라가다가 다리를 다친 거예요
3) 잠깐 화장실에 다녀왔는데 공연이 시작해 버린 거예요
4) 오랜만에 친구들을 만났는데 다들 너무 멋있어진 거예요

[예시]
1) 범인이 돈을 훔쳐서 도망쳐요.
2) 경찰이 범인을 쫓고 있어요.
3) 동창회에서 첫사랑과 재회했어요.
4) 자전거가 감쪽같이 사라졌어요.

1) 그동안 몰랐던 진짜 '나'를 찾기 위해
2) ④

1)

장르	줄거리
코미디 영화	주인공 '지훈'과 친구들이 우연히 보게 된 도둑을 쫓는 이야기

2) ③

11 🖉 저는 춘천에 대해 소개하겠습니다

2) 이번에 쓴 소설이 인기를 얻으면서 작가로서 이름을 알리게 되었어요.
3) 회사 상황이 어려워져서 사장으로서 책임감을 느껴요.
4) 범인을 잡는 것은 경찰로서 당연히 해야 할 일이에요.
5) 새로운 기술을 개발하여 과학자로서 인정을 받고 싶어요.

1) 진돗개는 한국을 대표하는 개로서 매우 똑똑하고 용감하다
2) 나는 대학교 홍보 모델로서 학교 광고에 출연하였다
3) 제주도는 한국의 유명한 관광지로서 외국인들에게도 큰 인기를 얻고 있다
4) 그녀는 이번에 찍은 영화가 성공하면서 영화배우로서 유명해졌다
5) 그는 기자로서 사람들에게 진실을 알리기 위해 노력하였다

1) 졸업 후의 진로에 대해서 생각하고 있어요
2) 오늘은 환경 문제에 대해서 토론하려고 해요
3) 회사에 지원한 동기에 대해서 물어봤어요
4) 화장품의 역사에 대해서 논문을 쓰고 있어요
5) 대학원에 가면 국제관계학에 대해서 공부하려고 해요

대화 속 문법 2번 67쪽

1) 어머니께서는 연예인에 대해서 전혀 관심이 없으시다
2) 그 사람은 이 문제에 대해서 책임이 없다
3) 선생님께서 장래 희망에 대해 나에게 물으셨다
4) 언니는 나에게 실수한 일에 대해 한 번도 사과하지 않았다
5) 많은 사람들이 지구의 미래에 대해서 걱정하고 있다

어휘와 표현 1번 68쪽

1) 이곳은 공장이 모여 있는 곳이에요.
2) 이곳은 사람들이 주로 농사를 짓는 곳이에요.
3) 이곳은 아름다운 자연을 자랑하는 곳이에요.
4) 이곳은 교통의 요충지예요.

어휘와 표현 2번 68쪽

1) 요충지   2) 자랑하고
3) 쾌적하다   4) 풍부하게
5) 집중되어

듣고 읽기 1번 69쪽

1) 세상 끝에 있는 도시들(지구의 가장 북쪽에 있는 스발바르, 지구의 가
   장 남쪽에 있는 푸에르토 윌리암스)
2) ②
3) 세계에서 가장 남쪽에 있는 마을이라는 이름 때문에

듣고 읽기 2번 69쪽

1) 대한민국의 수도로서 정치, 경제, 사회, 문화의 중심지 역할을 하는 도시
2) 한반도의 서쪽 중심부에 위치해 있음, 한국 전체 인구의 20% 정도인
   천만 명이 살고 있음, 거리는 항상 사람들과 차들로 붐비지만 대중교통
   이 발달되어 있음. 600년의 역사를 가지고 과거와 현재가 공존함, 산
   으로 둘러싸여 있고 도시 가운데에 한강이 흐름.

12 🖉   한국에 대해 발표하고자 합니다

문법 1번 72쪽

2) 한국의 동쪽에는 일본이 있으며 서쪽에는 중국이 있다.
3) 달리기는 건강에 좋으며 다이어트에도 효과가 있다.
4) 기숙사는 교실에서 가까우며 비용이 저렴하다.
5) 우리 회사는 일이 많지 않으며 연봉도 높다.

문법 2번 72쪽

1) 인천은 서울과 가까우며 경치가 좋다.
2) 여수는 밤바다가 유명하며 해산물이 맛있다.
3) 전주는 전통 문화의 도시이며, 음식이 맛있기로 유명하다.
4) 제주도는 산과 바다가 아름다우며 공기가 깨끗하다.

대화 속 문법 1번 73쪽

1) 소개하고자 합니다
2) 기부하고자 합니다
3) 말씀하고자 하신
4) 알아내고자 하였다

대화 속 문법 2번 73쪽

2) 돈을 많이 모으고자 아르바이트를 했다.
3) 정부는 일자리를 늘리고자 다양한 정책을 세웠다.
4) 한국 회사에 취직하고자 한국어를 전공했다.
5) 태풍 피해 지역에 도움이 되고자 봉사 활동을 가기로 했다.

어휘와 표현 1번 74쪽

1) 정치 제도   2) 화폐
3) 농업   4) 종교

어휘와 표현 2번 74쪽

1) 종교   2) 주요 산업
3) 기후   4) 상징

듣고 말하기 1번 75쪽

1) ②   2) ①

읽고 쓰기 1번 76쪽

1) ③   2) ③

어휘와 표현 색인

4A

자료
출처
4A

※ 이 교재는 산돌폰트 외 Ryu 고운한글돋움OTF, Ryu 고운한글바탕OTF, ONE 모바일POP 등을 사용하여 제작되었습니다. Ryu 고운한글돋움OTF, Ryu 고운한글바탕OTF 서체는 서체 디자이너 류양희 님에게서 제공 받은 서체입니다.

※ 강승희, 곽명주, 박가을, 이재영, 정원교 작가와 함께 작업했습니다.

| 게티이미지코리아 |

1과 9쪽_1번 3)③   2과 14쪽_1번 1)/2); 17쪽_(위로부터)④   3과 19쪽_2번 1)/2)/3)   8과 53쪽_중, 하   9과 59쪽_상좌   11과 68쪽_1번 (보기)

| 셔터스톡 |

스피커 아이콘
말풍선
문서 아이콘
연필 아이콘
전구 아이콘

1과 6쪽; 7쪽; 8쪽; 9쪽_1번 3)①/②/④, 2번; 11쪽_(위로부터)③/④   2과 12쪽; 13쪽; 14쪽_1번 3), 3번; 15쪽; 17쪽 (위로부터)①/②/③   3과 18쪽; 19쪽_1번, 2번 4), 3번; 20쪽; 21쪽; 22쪽; 23쪽_(중, 좌로부터)①, 하   4과 24쪽; 25쪽; 26쪽   5과 30쪽; 31쪽; 32쪽_1번 2)/3), 3번; 33쪽; 34쪽   6과 36쪽; 37쪽_1번, 3번; 38쪽; 39쪽; 41쪽   7과 42쪽_1번, 3번 (보기)/2); 43쪽; 44쪽; 45쪽; 46쪽; 47쪽_(시계방향으로)①/③/④   8과 48쪽; 49쪽; 50쪽; 51쪽; 53쪽_하   9과 54쪽; 55쪽; 56쪽; 57쪽; 59쪽   10과 60쪽_1번, 3번; 61쪽; 62쪽_1번 1)/2), 2번, 3번; 63쪽_2번; 64쪽   11과 66쪽; 67쪽; 68쪽_1번 1)/2)/3)/4); 70쪽; 71쪽   12과 72쪽; 73쪽; 74쪽; 75쪽; 76쪽, 77쪽   부록 79쪽

| 연합뉴스 |

3과 23쪽_상,좌 축구 선수 손흥민

| 기타 |

2과 14쪽_1번 4) 나미나라공화국 남이섬 제공
5과 35쪽_(위로부터) ©카카오, ©네이버, ©카카오, ©우아한형제들,
　　　　　©(주)위대한상상
8과 52쪽_ 한국철도공사 제공
10과 65쪽_〈기생충〉 포스터 (CJENM 제공)
11과 71쪽_1번 〈제주도의 푸른 밤〉 ©최성원
　　　　　2번 〈춘천 가는 기차〉 ©김현철
　　　　　3번 〈여수 밤바다〉 ©장범준

세종한국어 | 더하기 활동 4A

문화체육관광부
국립국어원

(07511) 서울 강서구 금낭화로 154
전화: +82 (0)2-2669-9775
전송: +82 (0)2-2669-9747
홈페이지 http://www.korean.go.kr

기획·담당	박미영	국립국어원 학예연구사
	조 은	국립국어원 학예연구사
책임 집필	이정희	경희대학교 국제교육원 교수
공동 집필	최은지	원광디지털대학교 한국어문화학과 교수
	김금숙	상지대학교 한국어문화학과 조교수
	김민경	고려대학교 교양교육원 초빙교수
	김가람	전북대학교 교과교육연구소 연구교수
	윤세윤	경희대학교 국제교육원 객원교수
집필 보조	김민아	서울대학교 국어교육과 박사수료
	김지예	고려대학교 교양교육원 강사
	정성호	경희대학교 국어국문학과 박사수료
	서유리	경희대학교 국어국문학과 박사과정

초판 1쇄 인쇄   2022년 8월 15일
초판 1쇄 발행   2022년 9월 1일

ISBN 978-89-97134-56-4 (14710)
ISBN 978-89-97134-21-2 (세트)

출판·유통   공앤박 주식회사 (www.kongnpark.com)
(05116) 서울시 광진구 광나루로56길 85,
프라임센터 1518호
전화: +82 (0)2-565-1531
전송: +82 (0)2-3445-1080
전자우편: info@kongnpark.com

총괄 | 공경용
책임 편집 | 이유진, 이진덕, 여인영
편집 | 김령희, 성수정, 최은정, 함소연
아트디렉팅 | 오진경
디자인 | 이종우, 서은아, 이승희
제작 | 공일석, 최진호
IT 지원 | 손대철, 김세훈
마케팅 | Sung A. Jung, Paulina Zolta, 윤성호